JN048567

大学4年間の西洋美術史が10時間でざっと学べる

東京造形大学教授 池上英洋

はじめに

ここに一枚の絵があります。描かれているのは、後ろ手で柱に縛り付けられた一人の若者です。腰布をまとっただけのその裸体には、矢が何本も刺さっており、傷口からは真っ赤な鮮血がしたたり落ちています。聖セバスティアヌスと呼ばれることになるその男性は、激しい苦痛に顔を歪ませながら、天を仰ぎ見ています。そしてそこには、祝福をしに舞い降りてきた天使の姿があります（P177）。

この残酷なシーンは、14世紀後半以降、キリストの磔刑像に次いで、西洋世界で最も多く描かれた処刑場面です。その背景には、ヨーロッパに1348年頃に入ってきて瞬く間に大流行し、その後も長い間ヨーロッパにおいて死因の上位を占めていたペスト（黒死病）の脅威があります。というのも、感染の原因も治療法もわかっていなかった当時、ある日突如としてリンパ節に黒い腫れが生じたかと思うと、短期間のうちに全身が侵されて黒く腐り始めていったペストは、堕落した人間に対する神罰とみなされていたからです。ランダムに放たれた神の怒りの矢が運悪く当たると、その人は死を待つしか手立てがありませんでした。

いっぽう、聖セバスティアヌスは、キリスト教が禁じられていた時代に布教したかどで処刑されましたが、神が奇跡を起こして矢傷では死ななかったとの逸話があります。そこで、矢に当たらないように、そしてもし当たっても助かるよう、御守りのように聖セバスティアヌスの絵が盛んに描かれました。彼の絵が大変な人気を集めたのはそのような理由からだったのです。

興味深いのは、聖人が生きたとされるのは3世紀のことで、ペストが最初に流行する14世紀までの1000年ほどの間、この聖人の図像がほとんどなかった点です。つまり、ある図像が流行するには、その要因となる社会背景が必ずあるのです。

このように、あらゆる図像と主題が、そして技法や様式は、その時代や地域の社会によって決定されます。それは宗教や思想であったり、政治や経済や、ときにはペストのような病や戦争だったりします。そしてそれらが、新たな様式などを生みだす原動力になってきたのを知るのは面白いものです。日本でも、戦国時代に優れた芸術家が多数現れたように、人類は混乱や苦境の時代に、かえって芸術活動を盛んに行ってきた歴史があります。聖セバスティアヌスが描かれた一枚の絵からでも、当時の人々が何を恐れ、何に苦しみ、そして何に救いを見出して祈っていたかがわかるのです。

私がこの巻頭言を書いているのは、ちょうど世界中でコロナウイルスの脅威が吹き荒れている時期のことです。まだ有効な治療薬やワクチンもない状況のなか、日々大勢の犠牲者を生んでいるこの未知の病に世界中がおののいています。しかし、人類がこれまで何度もこのような事態をくぐり抜けてきたように、この脅威もいつかは終息に向かうでしょう。そして、その過程で生まれてくるであろう新たな芸術が、この記憶を後世へと伝えてくれるはずです。

美術作品とは、こうした人類が通ってきた歴史を「観る」ための扉であり、その鍵ともなるものです。そこから学べることは多くあります。それでは皆さん、その「観方と学び方」を一緒に見ていきましょう。

2020年6月　東京造形大学教授
池上英洋

大学４年間の西洋美術史が10時間でざっと学べる　目次

第1部 西洋美術史を楽しむために

1 美術史とは何か

第2部
西洋美術がもっと楽しくなる名画の見方

2 絵を読む実践

第3部
西洋美術の「技法」「ジャンルわけ」を知る

3 技法

4 ジャンル

第4部
西洋美術の「歴史」を学ぶ

5 美術の歩み

第5部
「寓意画」「聖書画」「神話画」に隠された暗号を読み解く

6 アレゴリー

7 聖書

8　神話

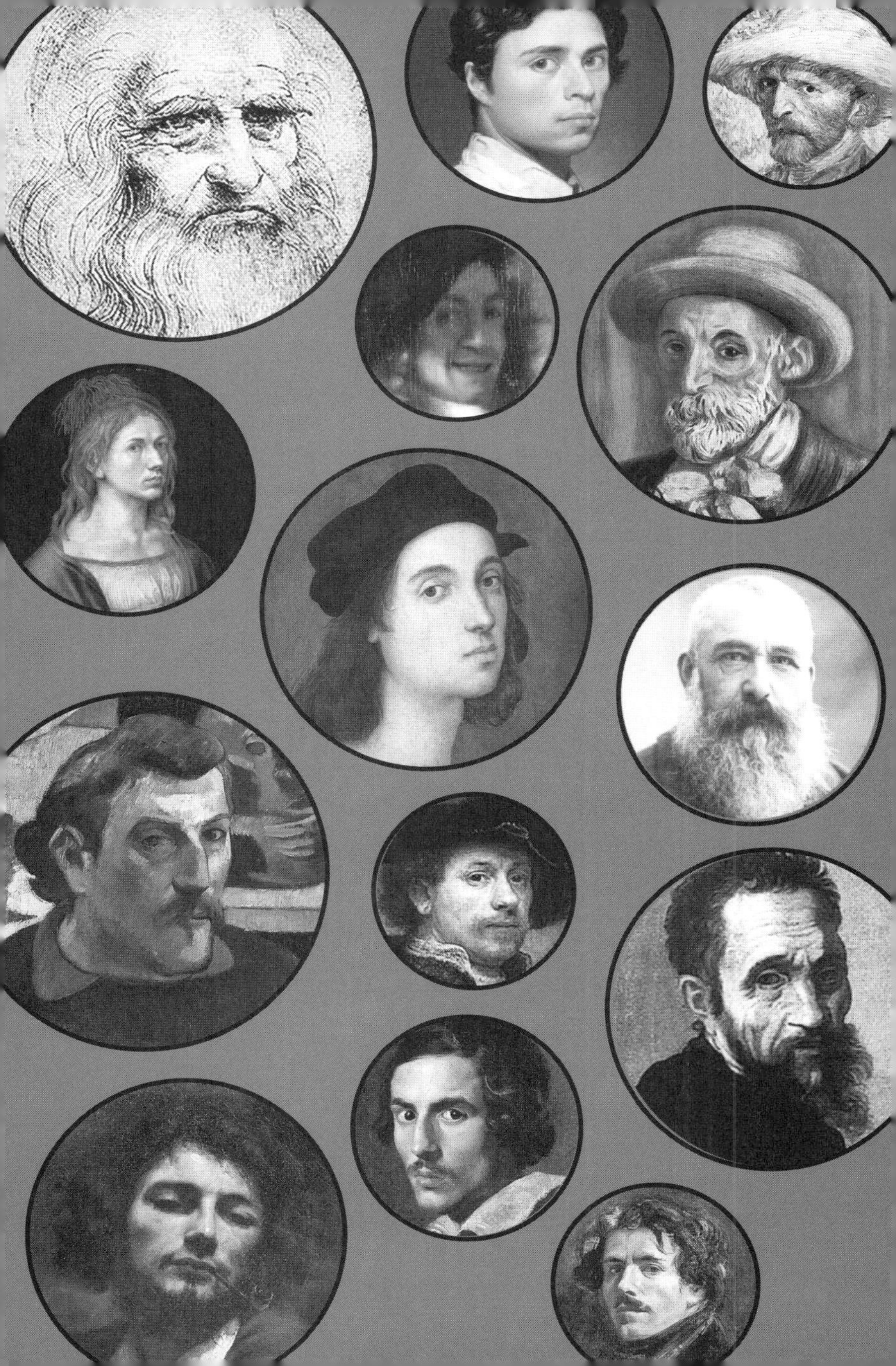

執筆協力	奈落一騎
編集協力	越智秀樹、越智美保（OCHI企画）
装丁	二ノ宮匡（ニクスインク）
図版作成・DTP	ISSHIKI

第1部

西洋美術史を楽しむために

▶ 01

美術史を学ぶとなぜいいか？

美術史とは、作品を通して人間を知り、自分自身を知ること

美術史というと、「なんというタイトル」で「誰が」「何年」に制作したかを覚えるものという印象があるかもしれません。たしかに、それらのデータを覚えることはある程度必要です。しかし、それよりも大切なのは、**「なぜそのような作品がその時代にその地域で描かれたのか」**、あるいは**「なぜそのような様式がその時代にその地域で流行したのか」**を考察することです。

なぜ、それを考察するのが大切なのでしょう？

現代の私たちは自分の考えていることを文字で書き、他人の考えていることは文字で読んで理解できます。しかし、1000年前のヨーロッパでは、政治を動かしている王侯貴族や、教会で働いている人、法律や商売に深く携わっている人以外は、文字の読み書きができませんでした。**人類の長い歴史のなかで、誰もが文字の読み書きをできるようになったのは、つい最近のことなのです。**

そこで、人々に何かを伝えたいと思ったとき用いられたのが、絵画などの美術作品でした。つまり、**かつての美術は現代よりももっと「誰かに何かを伝える」という機能を強く持っていたのです。**

そのため、私たちが当時の人々の考えていたことや、昔の社会のことを知りたいと思えば、美術を理解する必要があります。

ようするに美術史とは、**美術作品を介して「人間を知る」ことを目的としており、ひいては「自分自身を知る」ことに繫（つな）がってきます。**それゆえ、美術史は歴史学であると同時に、哲学という側面も持っている学問なのです。

図表でわかる！ ポイント

美術史を学ぶメリット
美術史はここが面白い！
何が描かれて
いるのか
なぜ
描かれたのか
なぜ
流行したのか
何を
伝えようと
しているのか
美術作品は「誰かに何かを伝える」機能が強かった
美術史を学ぶ
人間を知る
自分自身を知る

▶ 02

美術史を学ぶのが楽しくなる2つの視点

「精神的側面」と「物理的側面」の両方を理解しよう

美術史とは、美術作品を通して「なぜそのような作品がその時代にその地域で描かれたのか」「なぜそのような様式がその時代にその地域で流行したのか」を考察する学問だといいました。そしてそのためには、2つの側面から作品にアプローチする必要があります。

ひとつは、何が表現されているのか、**どのような意味が込められているのかを考察する**こと。ようするに、**「精神的側面」**から見るということです。もうひとつは、**どのような素材、技法が使われているのか、あるいは、どのような構図や色彩、筆致が用いられているかを考察する**こと。つまり、**「物理的側面」**から見るということです。

「物理的側面」も重視される点は、美術作品の特徴といえるでしょう。例えば文学作品であれば、重要なのはその作品に込められた意味や内容であり、どのような紙にどんな活字で印刷されているかは、とくに考察する必要はありません。しかし、美術作品においては、「物理的側面」も絶対に無視できない要素です。

そのような「物理的側面」に関する用語に**「様式」**があります。「様式」には、画家個人の特徴である**「個人様式」**と、時代や地域の特徴的である**「時代様式・地域様式」**の2種類があります。ですが、この2種類の様式は複雑に絡み合っているため、簡単にわけることができません。同時代、同地域で生まれた芸術家たちは、色使いや主題の選択などにおいて似た傾向を示します。だからこそ、美術作品は、その時代の人間や社会を知るための手がかりとなるのです。

図表でわかる！ ポイント

美術作品へのアプローチ方法は2つある!!

精神的側面＝〈絵の意味〉からのアプローチ

なぜこの絵は
描かれたん
だろう？

じつはお見合い用
（婚約者に近況を伝えるため）

ベラスケス
〈青衣の王女マルガリータ〉
1659年　美術史美術館　ウィーン

物理的側面＝〈絵の外見〉からのアプローチ

いつ頃どこで
描かれたんだろう？
（時代様式・地域様式）

この画家の
特徴は……？
（個人様式）

じつは卵が使われている
（テンペラ画）

サンドロ・ボッティチェッリ
〈ヴィーナスの誕生〉
1484-86年頃　ウフィツィ美術館　フィレンツェ

▶ 03

美術史を学ぶために、身につけておきたい２つのスキル

作品の略図を作り、言語化するスキルで見どころを解説する

視覚情報を分析する学問である美術史を学ぶためには、身につけておかなければならない大切な２つのスキルがあります。それは、**スケッチ・スキル**と**ディスクリプション・スキルです。**

スケッチ・スキルとは、「対象となる作品の略図（スケッチ）を描く技術」のことです。ただ、美術史は膨大な量のイメージを対象とする学問ですので、一つひとつに時間をかけて丁寧にスケッチしている暇はありません。

実際、このスキルを身につけるための訓練としては、１枚30秒ずつといった具合に時間を区切って、次々に作品を略図に直していきます。もちろん、色などを塗っている時間はありませんから、特徴的な色彩はスケッチのなかに「青」や「赤」など言葉で記します。このスキルを身につけることで、頭のなかに大量の視覚イメージのデータを蓄積することができるようになります。

ディスクリプション・スキルとは、「視覚情報を言語情報に変換する技術」のことです。こういうと難しそうですが、簡単にいえば、ある作品を見ながら、略図などを使わずに言葉だけで説明する作業となります。これは、**作品記述（エクフラシス）**とも呼ばれます。

自分の頭のなかにどれだけ大量のイメージのデータがあっても、それを言葉で人に伝えられなければ意味がありません。

重要なのは、まず画面のどこに何が描かれているかという区分を伝え、それから画面を構成している要素の数と配置、それぞれの形状や色、特徴を伝えることなのです。

図表でわかる！ ポイント

美術史を学ぶための必須スキル2つ

1.〈スケッチ・スキル〉

Ⅱ

作品の**略図**を描く技術

※〈トビアスと天使〉（P49 右上）の略図
受講ノート提供：竹下和貴子

2.〈ディスクリプション・スキル〉

Ⅱ

略図などを使わず**言葉だけ**で説明する技術

左図のディスクリプションはこうなる

→

- 長方形の左縦辺中央から上横辺中央へ緩やかな曲線を描く
- そこから真下の方向に垂直な直線を描く
- その直線の真下に、長方形の縦辺の長さの４分の１ほどの直径で真っ黒な円を描く
- 円の下は下横辺に接している

▶ 04

絵画を読み解くために知っておきたい3つのサイン

アイコン、インデックス、シンボルを知ると鑑賞が楽しくなる

ある美術作品を読み解くためには、そこに示されている**記号（サイン）**の意味を理解しないといけません。例えば、「→」という矢印は、もともと矢を図案（デザイン）化したものです。普通私たちは「→」を見たら、「右に進め」という意味で理解するでしょう。ですが、矢自体はもちろんのこと、「→」の印にも最初からそのような意味があったわけではありません。ようするに、**「（図案化を含む）イメージ化」に「意味の付与」が加えられて初めて、何かの情報を伝える記号となるのです。**

記号として用いられるイメージには、３種類あります。矢をイメージ化した「→」や、実際の田の区画の形に由来している「田」の漢字などのように、もとの対象が持つ形状に似せて作られた記号を**「類像（アイコン）」**といいます。

それとは別に、対象そのものには似ていませんが、それと因果関係を持っているタイプの記号を**「指標（インデックス）」**といいます。例えば、図案としては数字が順番に並んでいるだけのカレンダーを見たとき、それが１ヶ月と認識できるのは、カレンダーが「指標（インデックス）」として成立しているからです。

そして３つめが、**「象徴（シンボル）」**と呼ばれるものです。現在の私たちは白鳩を見て平和のシンボルと感じますが、もともと白鳩にそのような意味はありませんし、どの時代、どの地域でも通じるものではありません。このように、もとの対象とは直接関係がなく、「新たな意味」を与えられた記号が「象徴（シンボル）」なのです。

図表でわかる！ポイント

知っているだけで鑑賞力に差が出る3つのサイン

サイン1 類像（アイコン） ＝ もとの対象と形状が似ている

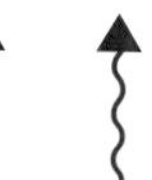

などの矢印

サイン2 指標（インデックス） ＝ 因果関係がある

			1	2	3	4
5	6	7	8	9	10	11
12	13	14	15	16	17	18
19	20	21	22	23	24	25
26	27	28	29	30	31	

サイン3 象徴（シンボル） ＝ 新たな意味を与えられた

▶ 05 美術鑑賞の醍醐味の一つ「擬人像」「寓意画」を読み解く

「剣」「天秤」「鶴」が意味するものとは？

絵画のなかで、より複雑な意味を伝えるものに**「擬人像」**と**「寓意画（アレゴリー）」**があります。

例えば、15世紀イタリアで制作された版画に次のようなものがあります。画面中央に古代風の衣装を身につけた１人の女性が立っていて、彼女は右手に剣を握り、左手に天秤を掲（かか）げています。また、彼女の足元には片足をあげて立っている鶴が描かれています。剣は強さの象徴で、意志の力も意味しています。天秤は左右のバランスをとって重量を計測するものです。鶴は昔からヨーロッパでは注意深い生き物と見なされていました。

この絵が示しているものは、裁判で判決を下すとき、見た目や職業の情報に惑わされることなく、慎重に両者の言い分を比較して判断しなければならず、その決断は感情に左右されない確固としたものであるべきだというものです。つまり、この女性像はそれ全体で**「正義／公正／法律」**という意味になるのです。このように人の姿を用いて、ある抽象的な概念を表したものを**「擬人像」**といいます。

あるいは、絵のなかにシャボン玉が描かれていたら、それは「儚（はかな）さ」を意味します。シャボン玉はすぐに消えてしまう特性を持っているため、そのような意味が与えられているのです。このように人の姿とは限らないイメージで特定の意味を表すものを**「寓意画（アレゴリー）」**といいます。**「擬人像」は「寓意画」に含まれます。**

こうした寓意画の数は非常に多く、中世にはそれらの意味を読み解くための辞書的な『寓意画集』がいくつか作られました。

図表でわかる！ ポイント

美術鑑賞の楽しみ、「擬人像」「寓意画（アレゴリー）」を読み解く

擬人像 ＝ 抽象的な概念を人を用いて表す

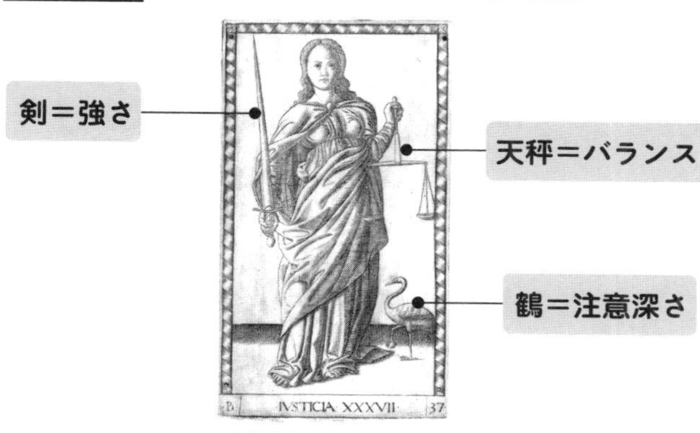

〈IVSTICIA（giustizia）〉
15世紀のイタリア版画

寓意画 ＝ あるメッセージがこめられたイメージ

シャボン玉＝儚さ

人生は儚い

だから生を
正しく生きよう

カレル・ドゥジャルダン
〈アレゴリー〉
1663年　コペンハーゲン国立美術館
デンマーク

10 hours
Art history Studies 1

美術史とは何か

▶ 06

制作年代が1200年以上も違う2つの老人の絵の共通点

鑑賞者に「その人は誰か」を伝えるために誕生した「符号（アトリビュート）」

6世紀にエジプトの聖カタリナ修道院で制作された1枚の絵があります。1人の男性を描いたこの絵は、蠟画（ろうが）（エンカウスティック）という特殊な技法で木の板に描かれています。いっぽう、19世紀スペインの画家ゴヤにも1人の男性を描いた絵があります。こちらは、カンヴァス（画布）に油彩で描かれています。

どちらの絵の男性も、やや丸顔の老人で、こめかみからあごの先まで白いひげに覆われ、意志の強そうな顔つきをしています。また、鍵束も描かれています。2枚の絵は、描かれた時代も地域も技法もまったく違いますが、これらの絵を見たとき、ある共通点に着目することで同じ人物を描いているとわかるようになります。実際、両作品とも「ペテロ」というキリスト教の聖人を描いたものです。

作品に人物名が文字で書いてあれば、もちろん、それが誰だかわかります。しかし、本章の冒頭でも述べたように、かつての美術は**「視覚的に情報を伝える」**という役割を持っていました。そこで、「その人物が誰か」を見た人に伝える**符号**が誕生しました。ペテロでいえば、丸顔の老人、白いひげ、意志の強そうな顔つきといった要素がそれにあたります。また聖書にはペテロがイエスから「天国の鍵」を授かる話が出てくるため、鍵もペテロの符号となります。

このような個体認識のための**「属性」**や、それを示す**「記号的要素」**を**「アトリビュート」**といいます。そうした「符号（アトリビュート）」や先に解説した「象徴（シンボル）」や「寓意画（アレゴリー）」の持つ意味を読み解く学問を**「図像学（イコノグラフィー）」**といいます。

図表でわかる! ポイント

1200年の時を超えて描かれた〈聖ペテロ〉

6世紀
シナイ半島

1825年頃
ゴヤの作品

〈聖ペテロ〉
6世紀のシナイ半島で描かれたイコン

フランシスコ・デ・ゴヤ〈聖ペテロ〉
1825年頃　フィリップス・コレクション ワシントン

「象徴（シンボル）」(P20)や
「寓意画（アレゴリー）」(P22)、
そして「符号（アトリビュート）」の意味を
読み解く学問を
「図像学(イコノグラフィー)」
というんだね

絵を読み解くことが
できると
いろんなことが
わかって
面白いね!!

▶ 07

「なぜその絵が描かれたのか」を考えてみよう

絵画が成立した社会的・精神的背景を見る

「図像学（イコノグラフィー）」によって、その絵が「何を描いているのか」ということはわかります。しかし、美術史にとって一番大切なのは、**「その絵がなぜ描かれたのかを考えること」**です。そこで、20世紀初頭に**パノフスキー**という美術史家が提唱した**「図像解釈学（イコノロジー）」**を見てみましょう。

「イコノロジー」は２つの段階を経て、作品を分析します。最初は**「ある図像の成立過程とその背景を見る」前段階のイコノロジー**です。例えば、ある図像に動物が描かれていたら、その動物は作品が作られた地域や時代でどういった性質だと思われていたかを調べます。さらに、その動物が登場する神話などから、どのような影響を受け図像が形成されていったかも見ます。つまり、**図像が、どのような要素から生まれ、作られていったかを分析するのです。**

次の段階が**「ある図像を選択した社会的・精神的背景を見る」後段階のイコノロジー**です。例えば、19世紀イタリアの画家**カンマラーノ**の作品に**〈労働と怠惰〉**があります。この絵には、道に立つ黒いシルクハットの男と農場で働く大勢の人々が描かれています。また、働く人々のなかの１人は手を止めてこちらを見ています。この絵が描かれた時代は産業革命をきっかけに、資本家と労働者の階級格差が開いた時代です。手を止めてこちらを見ている男は、その階級格差を見る者に訴えているのです。このように、ある主題が選択されるときには、その時代と地域の社会的・精神的背景があります。「図像解釈学（イコノロジー）」はそれを読み解く学問なのです。

図表でわかる! ポイント

美術史でもっとも大切なのは「その絵がなぜ描かれたのか」

ミケーレ・カンマラーノ
〈労働と怠惰〉
1863年頃　カポディモンテ美術館　ナポリ

ワンポイント
見る人に「産業革命」により生まれた階級格差への不条理を訴えている

図像学（イコノグラフィー）
その絵が何を描いているか象徴（シンボル）や符号（アトリビュート）、寓意画（アレゴリー）の持つ意味を読み解く

図像解釈学（イコノロジー）
その絵がなぜ描かれたのかを分析する

↓

前段階の図像解釈学（イコノロジー）
図像の成立過程とその背景を見る
(図像がどのような要素から生まれどのような影響を受けて形成されたか)

後段階の図像解釈学（イコノロジー）
図像を選択した当時の社会的・精神的背景を見る（その絵に何を求めたのか)

▶ 08

「いつ、どこで、誰が描いた作品なのか」を特定する方法

税金の申告書類や遺産目録、洗礼者名簿が手がかりに

その美術作品が「いつ、どこで、誰が」制作したものなのかを確定するには、いくつかのステップがあります。まず、作品に画家本人が署名し、制作年を記している場合は、当然ながらその情報が最優先となります。

しかし、作品に情報が書かれていない場合もあります。そのようなとき、次に信頼性が高いのは契約書類などの**記録資料**です。今も昔もヨーロッパは契約社会なので、驚くほど多くの書類が残っています。当時の王侯貴族の手紙には作品の依頼や催促が書かれていますし、政府や教会の注文であれば**契約書類**が残っている場合もあります。その他、**税金の申告書類**や**遺産目録**なども貴重な情報源です。それらの書類は公文書館に保管されていることが多く、また**教会の洗礼者名簿**によって画家の生没年がわかることもあります。

同時代や、少しあとの時代の人々の**日記**や**年代記**にも、多くの美術作品の情報が残されています。ただ、それらは伝聞による記述も多いので、取扱いには注意が必要です。

そういった文献資料がいっさい残されていない場合は、**「素材や顔料の使用傾向」「主題の選択傾向」**で判断することになります。素材や顔料、描かれている主題には地域や時代の流行や制約があるので、特定する手がかりとなります。そして、最後の手段が**「様式分析」**です。これは、ある作家の真筆であることが100％確実な作品を「基準作」とし、それと詳細に比較考察することで、誰のいつ頃の作品かを特定する方法です。

図表でわかる! ポイント

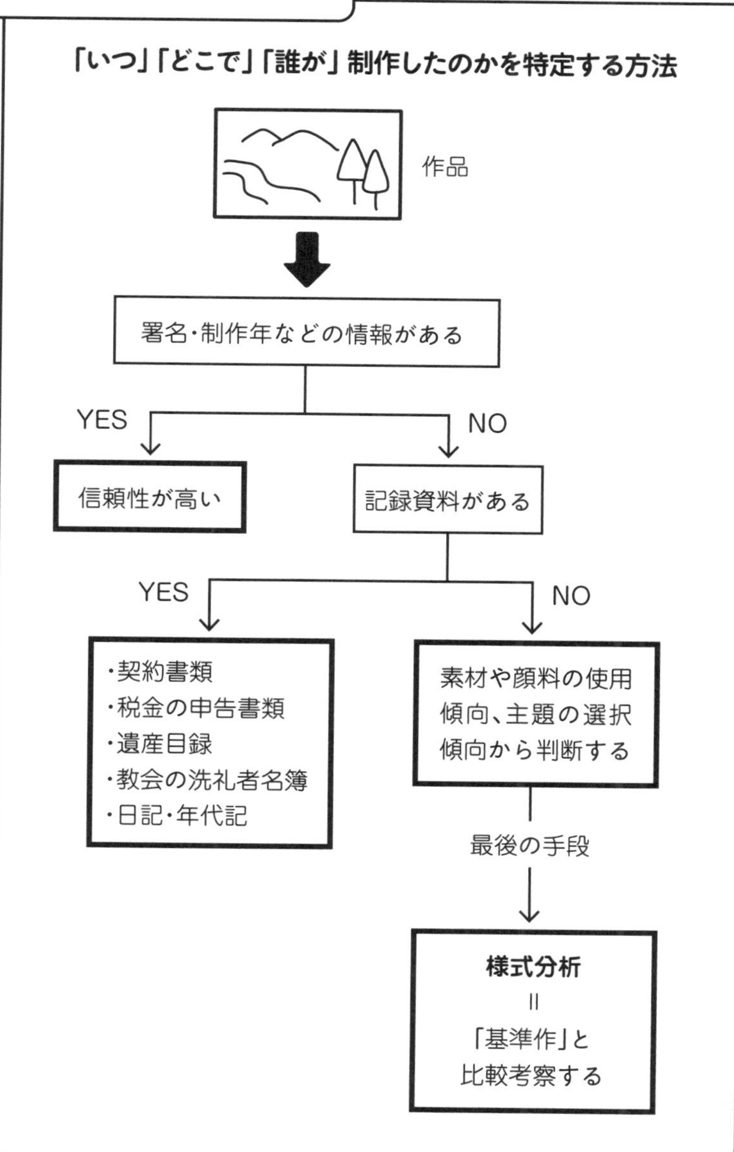
「いつ」「どこで」「誰が」制作したのかを特定する方法
作品
署名・制作年などの情報がある
YES
NO
信頼性が高い
記録資料がある
YES
NO
・契約書類
・税金の申告書類
・遺産目録
・教会の洗礼者名簿
・日記・年代記
素材や顔料の使用傾向、主題の選択傾向から判断する
最後の手段
様式分析
＝
「基準作」と比較考察する

▶ 09

中世ヨーロッパの絵画に署名がほとんどないのはなぜか？

キリスト教が偶像崇拝を禁止していたことが理由

ヨーロッパの画家が自分の作品に署名するようになったのは、基本的には14世紀のプロト・ルネサンス期以降のことです。それまでの、いわゆる中世と呼ばれる時代には滅多に署名をすることがなかったため、作者を特定することが極めて難しくなっています。

中世ヨーロッパの絵画に署名がほとんどないのは、**キリスト教が偶像崇拝を禁止していたためでした。**キリスト教は神を１柱しかないとする一神教です。一神教では他の神と比較する必要がないため、唯一の神には名前がありません。それと同じ理由で神を偶像にすることも禁止されました。何か具体的な形にしてしまうと、比較の対象が生まれてしまうためです。

しかし、文字を読めない人が多かった時代、文字によってキリスト教を布教したり、教義を説明したりするのには限界がありました。そこで、直接神を描くのではなく、最初は魚（＝キリストのシンボル）などを用いていました。次いで、**聖母子像などによってキリスト教を布教**しようとします。その際、それらの絵は、そのむこうにいる信仰対象を崇拝するための**「窓」**とされました。

つまり、絵そのものは実体ではなく、信仰心を高めるための**「聖なる容器」**に過ぎず、画家の個性が発揮される場所ではなかったのです。そのため、署名はされませんでした。また、「偶像崇拝の禁止」によって、絵の主題にもさまざまな制約があったことが、多くの象徴（シンボル）や寓意画（アレゴリー）を生む原因となります。

図表でわかる！ ポイント

中世ヨーロッパの絵画に署名が少ない理由

キリスト教 ＝ 偶像崇拝禁止

文字が読めない人のために絵が必要

ワンポイント
絵画は偶像ではなく、そのむこうにいる信仰対象を崇拝するための「窓」

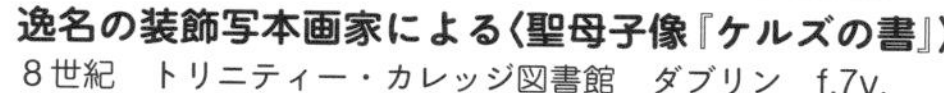

逸名の装飾写本画家による〈聖母子像『ケルズの書』〉
8世紀　トリニティー・カレッジ図書館　ダブリン　f.7v.

作品は制作者の個性を発揮する場ではなく、そのため署名は必要なかった

▶ 10

ツタンカーメンの黄金のマスクが無表情である理由

一神教から多神教に変わったことで様式も変化

宗教が芸術に影響を及ぼしたのは、キリスト教圏だけの話ではありません。わかりやすい例の１つが、紀元前14世紀の古代エジプトの２つの美術作品です。１つは、当時のファラオ（王）であったアメンヘテプ４世の王妃ネフェルティティの胸像。もう１つは、アメンヘテプ４世の義理の息子だったと考えられているツタンカーメンの黄金のマスクです。

２つの作品は一世代しか制作時期に隔たりがないにもかかわらず、大きな違いがあります。ネフェルティティの胸像は唇の両端のくぼみや両目の下の皺（しわ）など、自然な表情がよく描写されていて個性的です。いっぽう、ツタンカーメンのほうは細かな凹凸や皺などもなく、無表情で個人的な特徴がほとんどありません。

この違いは宗教の変化によって生みだされたものです。古代エジプトは多神教で、ファラオもそれら神の１柱とされていました。しかし、アメンヘテプ４世はアテン神だけを唯一の神とする一神教への変革を強行します。その結果、ファラオや王妃はただの人間ということになりました。人間であれば、その人に似ていなければ肖像の役割を果たしません。そのため**「写実性」が重んじられ、ネフェルティティの胸像は個性的な顔立ちとなったのです。**

ですが、ツタンカーメンの時代にエジプトは多神教に戻ります。それにともない、再びファラオは神と見なされ、その肖像も個性を写実するのではなく、**「神とはこうあるべき」という形を重視する様式に戻ってしまったのです。**

図表でわかる！ ポイント

ツタンカーメンの時代、ファラオは「神」になった

ネフェルティティ像（一神教時代）

〈ネフェルティティの胸像〉
紀元前 1345年頃
新博物館　ベルリン

ツタンカーメンの黄金のマスク（多神教時代）

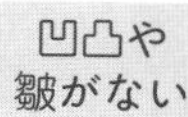

〈ツタンカーメンの黄金のマスク〉
紀元前1323年頃
エジプト考古学博物館
カイロ

10 hours
Art history Studies 1
美術史とは何か

▶ 11

芸術活動にお金を払う「パトロン」には、どんな人がいるのか？

都市国家の市民→皇帝→君主・教会→豊かな商人へと変化

美術作品の成立には、経済的側面も無視できません。近代以前の美術作品は基本的には、まず発注者がいて、そこから金銭をもらって芸術家が作品をつくるという工程で成立しています。

このように**芸術活動に金銭を払う人をパトロン**といいます。パトロンはヨーロッパにおいては時代によって変遷してきました。古代ギリシャでパトロンの役割を務めたのは**都市国家の市民たち**です。ギリシャの首都アテネには紀元前５世紀に建てられた**〈パルテノン神殿〉**があります。これを建てさせたのはアテネ市民たちでした。

ギリシャの次に地中海世界を制覇したのはローマです。ローマは初め共和政でしたが紀元前１世紀に帝政となります。以後、４世紀に完成した**〈コンスタンティヌス帝の凱旋門〉**を筆頭に、ローマ帝国の芸術は、ほとんど**皇帝**がパトロンとなってできたものばかりです。

４世紀末にローマ帝国は東西に分裂し、やがて西ローマ帝国が滅びると、ヨーロッパには君主制の国家が多数成立します。それらの国々はそろってキリスト教を国教としました。そのため、中世の長い期間、芸術家のパトロンは**諸国の君主**と**教会**になります。

14世紀イタリアで始まったルネサンスを支えたのは、**豊かな商人層**でした。彼らは職種ごとに**ギルド**と呼ばれる組合を作り、これが新たなパトロンとなります。例えば、ドナテッロの彫刻**〈聖ゲオルギウス〉**を発注したのは**武具馬具組合**でした。その後、産業革命が起きると富裕市民がパトロンになり、現代では企業がその役割を務めるなど、時代の変化によってパトロンも変わり続けています。

図表でわかる！ ポイント

パトロンの移り変わり

芸術活動にお金を払う人 ＝ パトロン

古代ギリシャのパトロン ＝ 都市国家の市民

〈パルテノン神殿〉
紀元前447～紀元前432年　アテネ

ローマ帝国のパトロン ＝ 皇帝と貴族

〈コンスタンティヌス帝の凱旋門〉
315年完成　ローマ

中世のパトロン ＝ 諸国の君主と教会

ルネサンス期に登場した新たなパトロン ＝ 豊かな商人層

ドナテッロ　〈聖ゲオルギウス〉
1416年頃　バルジェッロ美術館　フィレンツェ

▶ 12

「ルネサンス遠近法」と「並行遠近法」の違い

同じ遠近法でもこんなに違う

美術作品で使われる技法は、「作品の見られ方」によっても変わってきます。例えば、**〈ヘロデ王の宴〉**のようなイタリアのフレスコ壁画と**〈一遍上人伝絵巻〉**などの日本の絵巻を比べた場合。

〈ヘロデ王の宴〉はルネサンス遠近法の最初期の一例として知られる作品で、ヘロデ王が義理の娘サロメに舞を踊らせる場面が描かれています。遠近法が極端に強調されていて、画面奥方向に向かう直線は、すべて画面中央の一点に集まります。これを**中央消失点**といい、このような方法で描かれる遠近法を**「中央一点消失法」**や**「線遠近法」**、あるいは**「ルネサンス遠近法」**と呼びます。

いっぽう、鎌倉時代の僧侶である一遍の生涯を描いた〈一遍上人伝絵巻〉には、そのような消失点はありません。画面に描かれた主要な平行線群はずっと平行関係を保ったままで、一点に集束しないのです。このような遠近法を**「並行遠近法」**といいます。

この２つの遠近法に優劣はありません。壁画はある程度の幅で１つの場面に区切られ、その一場面のなかに「両端」と「中央」があります。そして、鑑賞者は各場面の中央に立って、その壁画を眺めることになります。そのため、中央を強調する遠近法が選ばれているのです。

しかし、左側の巻から紙を送り、右側の巻に巻き取りながら順繰りに眺めていく絵巻は、「中央」と「両端」とで大きさの違いがありません。このように横にずっと絵が続いていく場合は、並行遠近法で描かれるほうが見やすく、適しているのです。

図表でわかる! ポイント

鑑賞者がどう見るかによって描き方は変わる

〈ヘロデ王の宴〉= ルネサンス遠近法

ワンポイント

壁画や壁に掛けられた絵を中央に立って眺める。近くは大きく、遠くは小さく、奥行きが感じられる

マゾリーノ・ダ・パニカーレ 〈ヘロデ王の宴〉
1435年 カスティリオーネ・オローナ（北イタリア） 洗礼堂南壁

〈一遍上人伝絵巻〉= 並行遠近法

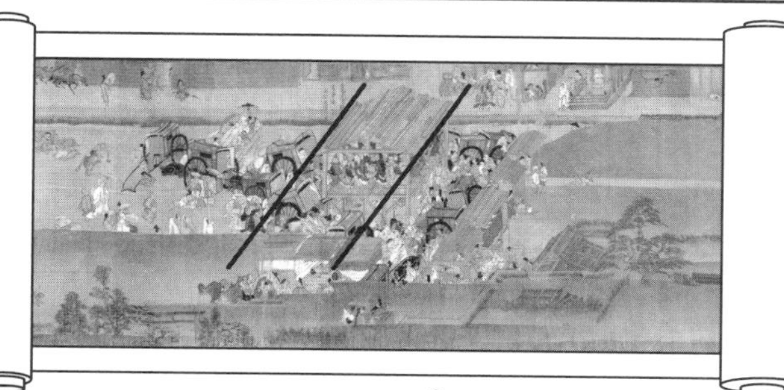

〈一遍上人伝絵巻 巻第七〉（部分）
1299年 東京国立博物館 日本

手元で順繰りに眺めていく絵巻。連続する場面を描いたり、内部構造を把握したりするのに適している

▶13 宗教上の理由で、絵画の技法が変更されることもある

マンテーニャはなぜ足を小さく描いたのか？

二次元平面に三次元的空間を表現するために、遠近法は欠かせない技法です。ですが、宗教的な理由から遠近法が変更されることもあります。

15世紀イタリア北部で活躍したアンドレア・マンテーニャに**〈死せるキリスト〉**という絵があります。この絵のなかでキリストは両足の裏を鑑賞者側に見せる形で横たわっています。キリストの足元から眺めているような臨場感のある作品ですが、よく見ると違和感が残ります。もし同じポーズで同じ角度から写真を撮った場合、足の裏はもっと大きく、頭部はもっと極端に小さくなるからです。

なぜこのような不自然な縮尺になったかといえば、**マンテーニャはキリストの聖痕を鑑賞者に見せたいと考えたからです。**聖痕とはキリストが磔（はりつけ）にあったときに受けた傷のことで、両手両足の甲と脇腹にあるとされています。横たわったキリストの絵でこれらすべてを見せようとすれば、横から見た構図で描くか、下から見た構図で描いたマンテーニャの方法しかありません。しかも、この絵は個人的な祈りや瞑想のために描かれたものです。可能なら、鑑賞者がキリストと正対する（真正面から向き合う）形にしたい。

そうなると、マンテーニャの描き方が唯一の方法となります。つまり、**キリストと正対したい、聖痕も重要だという矛盾する2点を両立させるためにこのような絵になったのです。**ただ、この構図を正しい遠近法で描くと、足の裏があまりに大きくなりキリストの身体のかなりの部分を覆い隠してしまうので、あえて小さく描いたのです。

図表でわかる！ ポイント

矛盾する2点を両立させるために遠近法を変更したマンテーニャ

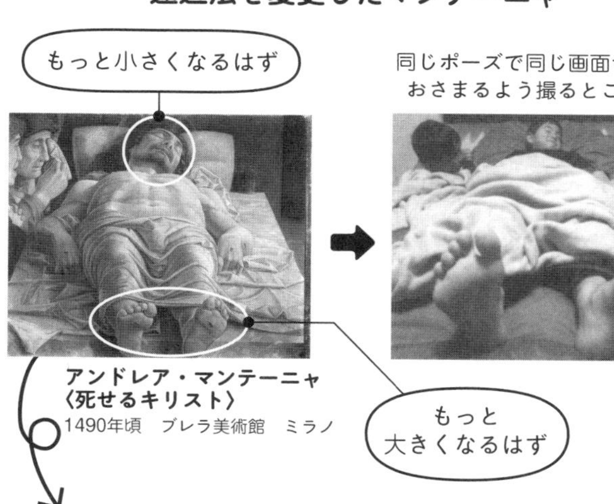

アンドレア・マンテーニャ
〈死せるキリスト〉
1490年頃　ブレラ美術館　ミラノ

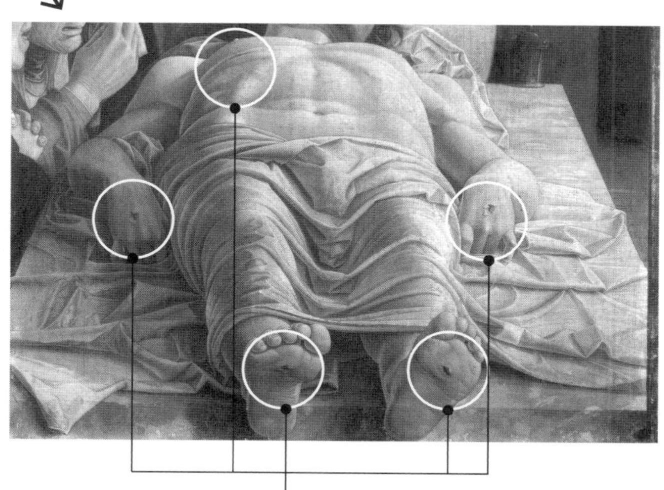

▶ 14

舞台背景画は見る人の層が変わったため描き方も変わった

王のための演劇から大衆のための演劇へと変化した結果

15世紀のルネサンス以降、演劇の舞台の背景に描かれる舞台背景画の制作が盛んになりました。シエナ派の画家・建築家である**バルダッサーレ・ペルッツィ**は舞台背景画家としても有名で、1514年にローマで実際に演じられた舞台の背景画が残されています。それは、遠近法の大家とも呼ばれたペルッツィらしく、**中央に一点消失点を持つ正しいルネサンス遠近法**で描かれたものです。

このペルッツィから約200年後のボローニャで活躍した**ガッリ・ビビエーナ一族**もたくさんの舞台背景画を手がけました。彼らが制作した舞台背景画を見てみると、ペルッツィの時代のものとは大きな違いが生じていることがわかります。

ビビエーナ家が制作した舞台背景画には、ペルッツィの作品にあったような一点消失点がありません。その代わりに、画面内に描かれた直線を伸ばしていくと、左右両側の画面の外に一点ずつ消失点が見つかります。このような遠近法を**「二点消失遠近法」**といいます。

ペルッツィの時代にも、二点消失遠近法は知られていましたが、当時の演劇は、劇場の中央の席で真正面から舞台を見る王侯貴族のためのものでした。そのため、中央一点消失法で描かれた背景画のほうが適していたのです。しかし、ビビエーナ家の時代には演劇は大衆のものとなっていました。そうなると「鑑賞者を真正面の一点のみに限定しない」二点消失遠近法の背景画が望まれるようになります。このように、社会構造の変化も絵の技法に大きな影響を及ぼすのです。

図表でわかる！ ポイント

王の視点から大衆の視点へ

演劇を見る人 ＝「王侯貴族」

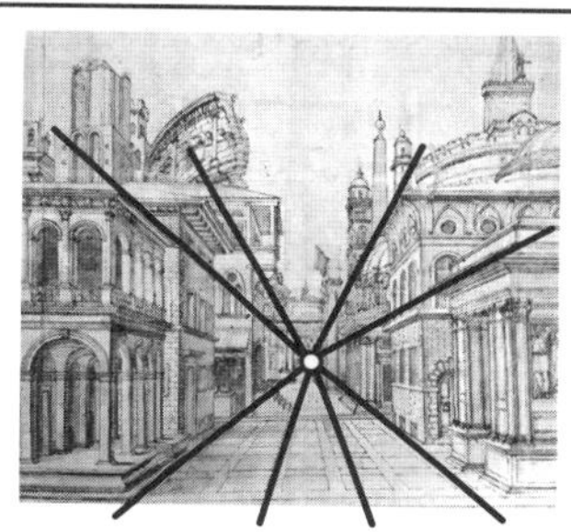

バルダッサーレ・ペルッツィ　舞台背景画
1514年　ウフィツィ美術館　フィレンツェ

真正面から見る**「中央一点消失法」**

⬇ **約200年後**

演劇を見る人 ＝**「大衆」**

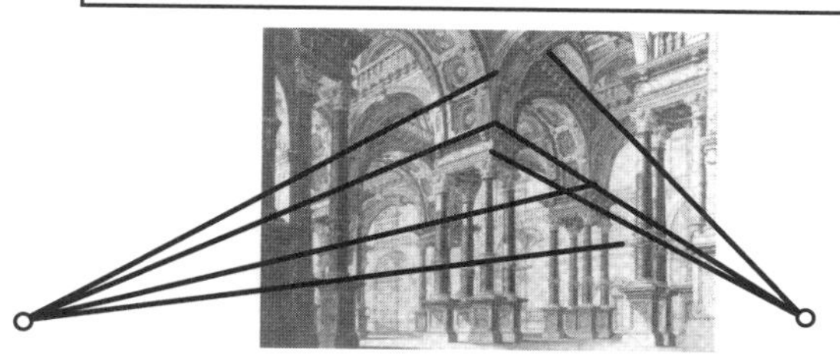

ジュゼッペ・ガッリ・ビビエーナに帰属
舞台背景画
18世紀前半　アッカデミア・ディ・ベッレ・アルティ資料室　ボローニャ

真正面の一点のみに限定しない**「二点消失遠近法」**

▶ 15

後世の人がオリジナルに手を入れるのは悪いことか？

時代にそぐわなくなり、修正したほうが自然なことも

美術作品は制作された時点のオリジナルの形を、可能な限り留めるべきだと多くの人は考えるでしょう。後世の人が勝手に修正するのはもってのほかと感じるのは自然な感情です。しかし、そうとばかりも言い切れない難しい問題もあります。

イタリアのカマッジョーレという町の教会に、12 世紀後半に作られた木製の**キリスト磔刑像**（たっけい）があります。1990 年代にキリスト像は修復されますが、修復後の姿は驚きをもって受け止められました。長年、目を閉じた姿だったキリスト像が、目を見開いた状態に修復されていたのです。綿密な調査により、もともとこのキリスト像は目を開いた状態で作られ、それが 13 世紀になって修正され、目を閉じた状態にされていたことがわかったのです。

13 世紀前半に修正された理由は**「それまでの表現形式が時代にそぐわなくなった」**からです。12 世紀のキリスト像は目を見開いた**「勝利者としてのキリスト」**の表現が主流でした。しかし、13 世紀に入ると目を閉じた**「苦難のキリスト」**の表現が主流となります。このような変化に基づいて修正が行われたのです。

ただ、カマッジョーレのキリスト像が目を開けていたのは制作後わずか 50 年ほどに過ぎず、そのあと約 800 年間は目を閉じた姿でした。人々にとってこの像は、ずっと目を閉じたキリスト像であったのです。また、この修正は「宗教観の変化に忠実に従った」修正の貴重な歴史的証拠でもあります。それを、単純に制作時の姿に戻してしまうのが正しいのか否かは本当に難しい問題です。

図表でわかる！ ポイント

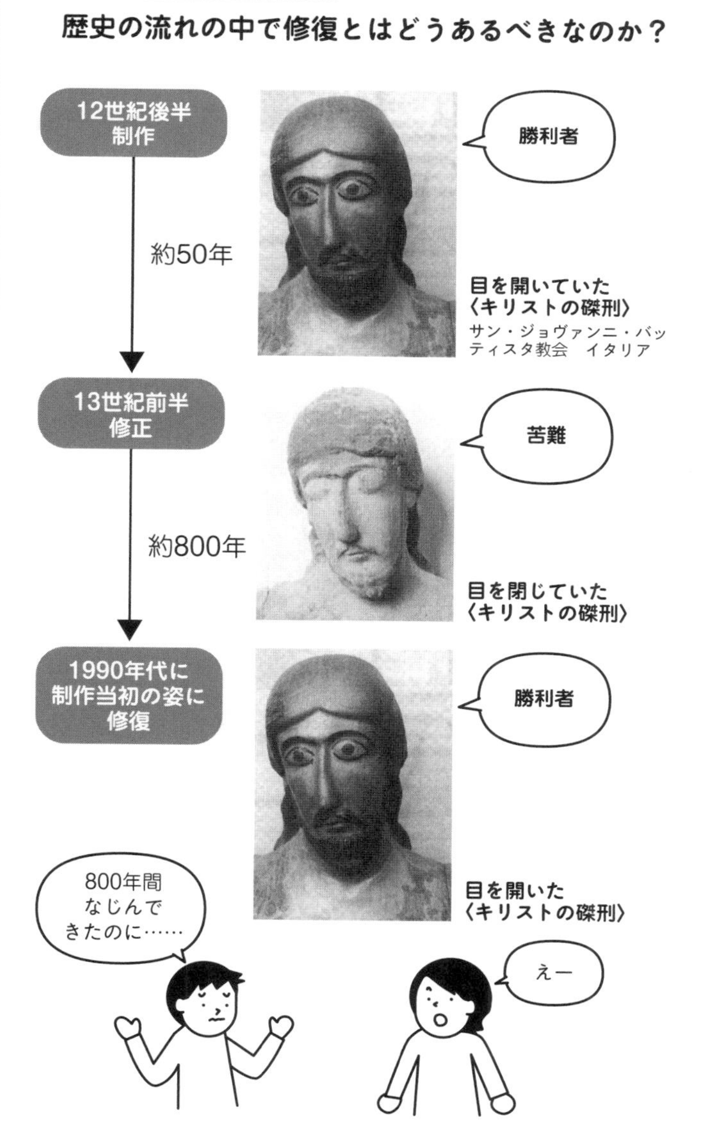
歴史の流れの中で修復とはどうあるべきなのか？
12世紀後半
制作
約50年
勝利者
目を開いていた
〈キリストの磔刑〉
サン・ジョヴァンニ・バッティスタ教会　イタリア
13世紀前半
修正
約800年
苦難
目を閉じていた
〈キリストの磔刑〉
1990年代に
制作当初の姿に
修復
勝利者
目を開いた
〈キリストの磔刑〉
800年間
なじんで
きたのに……
えー

▶16 20年毎に建て替えられる伊勢神宮のオリジナリティとは？

「オリジナリティは図案に宿る」という日本独特の考え方

作品のオリジナリティをどこに求めるかというのは、文化によっても違ってきます。ローマにあるコロッセオは1世紀に造られたもので、高さ50メートル近くあり、5万人も収容できた巨大な建造物です。しかし、ローマ帝国が崩壊すると、教会を建てる大理石を採取するための恰好の採石場となってしまいました。

その結果、コロッセオは現在のように外周の半分を失った姿となってしまいます。

もちろん、倒壊しないように傷んだ箇所は補修してありますが、現在に至るまで、失われた部分を復元しようという動きはありません。大理石を採掘した場所から新たに大理石を切りだして、コロッセオを完成時と同じ姿に戻すことは技術的には可能です。それでも、ヨーロッパでは**「オリジナリティは素材に宿る」**と考えられているため、素材が置き換わることに拒絶反応があるのです。

いっぽう、日本の伊勢神宮は20年おきに**式年遷宮**を行い、新たな木材で神社の建物をすべて建て替えます。伊勢神宮を構成する木材部品で1300年前から残っている部品などひとつもありません。ヨーロッパ風に考えるなら、構成素材をすべて入れ替えてしまう伊勢神宮は、すでに本来のオリジナリティを失ったものとされるでしょう。ですが、日本人でそう考える人は少ないはずです。私たちは当たり前のように「伊勢神宮は古いものだ」と考えます。つまり、日本では**「オリジナリティは図案に宿る」**のです。このように、風土の違いによってオリジナリティの定義は変わってきます。

図表でわかる！ ポイント

文化と気候風土がもたらすオリジナリティの違い

西洋＝石材		東洋＝木材
 ×	対湿度（通気性）	 ○
 ○	耐火性	 ×
 ○	堅牢性	 ×
 ×	入手難易度	 ○
 ×	耐震性	 ○
 ○	永続性	 ×

↓ 腐敗しにくい
（素材＝建材にオリジナリティがある）

↓ 腐敗しやすいため交換の必要がある
（図案にオリジナリティがある）

column

世界の四大美術館①
ルーヴル美術館

ルーヴル美術館は、パリにあるフランスの国立美術館です。所蔵品は38万点以上あり、そのうち3万5000点ほどが8部に分類されて展示されています。年間入館者数は800万人以上で、世界で一番訪れる人の多い美術館です。また、一説には所蔵品の合計評価額がもっとも高いのがルーヴル美術館ともいわれています。

ルーヴル美術館の建物は、12世紀にフィリップ2世が要塞として建設したルーヴル宮殿の敷地内にあります。ルーヴル宮殿は歴代フランス王の王宮として使用されてきましたが、17世紀にルイ14世が王宮をヴェルサイユ宮殿に変更したことで、ルーヴルは王室美術品コレクションの収蔵場所となりました。そして、フランス革命後の1793年に正式に美術館として開館しました。

その後、ナポレオン1世がヨーロッパ中を席巻し、諸国から略奪した美術品を大量に本国に持ち帰ったことで、ルーヴル美術館のコレクションは飛躍的に増大します。そのため、ナポレオン美術館と改名されていた時期もあります。

そんなルーヴル美術館が所蔵する美術品は、西洋美術のみならず、古代エジプト美術、古代オリエント美術、イスラム美術など多岐にわたっています。西洋美術のおもな所蔵品としては、レオナルド・ダ・ヴィンチの〈モナ・リザ〉、ドラクロワの〈民衆を導く自由の女神〉、フェルメールの〈レースを編む女〉などが有名です。

第2部

西洋美術がもっと楽しくなる名画の見方

10 hours Art history Studies 2

絵を読む実践

▶ 01

〈トビアスと天使〉金貸しの息子の絵が好まれた理由

お金のことは信頼できる家族にしか頼むことができなかった

ここからは、具体的な作品を通して、**「その絵がなぜその時代にその地域で描かれたか」**ということを分析していきます。いわば、**「社会を見るための窓」**としての美術鑑賞の実践例です。

15世紀ルネサンス時代のフィレンツェの芸術家**ヴェロッキオ**に**〈トビアスと天使〉**という作品があります。この絵は、『旧約聖書』の外典である「トビト書」のなかの逸話をテーマとしたもので、父に頼まれて貸したお金を返してもらいに行く息子が大天使ラファエルとともに描かれています。

このテーマはルネサンス時代のフィレンツェやシエナなどでとくに好まれ、数多くの作品が描かれました。それは、**これらの地域では裕福な商人たちが銀行業を始め、金融業が盛んだったためです。**

当時はお金のやりとりは自分たちで現金を持ち運ばなければなりませんでした。そこで、必然的に信頼できる家族に頼むことになります。そういった状況で、**金貸しの息子が天使に守られながら旅をする**主題は、これ以上ないほどあやかりたいストーリーだったのです。

ヴェロッキオの〈トビアスと天使〉をよく見ると、トビアスはルネサンス時代の裕福な商人が着るような服を身につけています。また、同時代の芸術家ボッティチーニにもトビアスを描いた作品がありますが、こちらでは本来「トビト書」ではラファエル1人だけだったはずの天使が3人に増えています。天使は1人より3人のほうが、より旅が安全になるからでしょう。このように、〈トビアスと天使〉は当時のイタリアの社会状況を色濃く反映しているのです。

図表でわかる! ポイント

絵画を見れば、その時代の風潮がわかる

ルネサンス時代
フィレンツェ、シエナ

=

金融の中心地

アンドレア・デル・ヴェロッキオ
〈トビアスと天使〉
1470〜80年頃　ナショナル・ギャラリー　ロンドン

フランチェスコ・ボッティチーニ　〈三大天使とトビアス〉
1470年頃　ウフィツィ美術館　フィレンツェ

ワンポイント

天使が増えた!!
中央は大天使ラファエル、左は大天使ミカエル、右は大天使ガブリエル

現金を自分たちで運ぶ習慣があったため<トビアスと天使>が好まれた

▶ 02 〈アルノルフィーニ夫妻の肖像〉に散りばめられた寓意

「蠟燭」「サンダル」「犬」「ポーズ」……すべてに意味がある

「神の手を持つ画家」と賞された15世紀前半のフランドル派の画家**ヤン・ファン・エイク**に**〈アルノルフィーニ夫妻の肖像〉**という作品があります。これは、当時のイタリアの大商人であったアルノルフィーニ夫妻の結婚記念に描かれたもので、そのため絵のなかに結婚を象徴する寓意がたくさん散りばめられています。

画面の上部には、１本だけ灯った蠟燭（ろうそく）が描かれています。**１本の蠟燭は万物を照らすキリストを表すものです。**つまり、この結婚が神に祝福されたものであることを意味しているのでしょう。

画面下部には脱ぎ捨てられたサンダルと犬が描かれています。サンダルは通常屋外で使用するものですが、それが脱ぎ捨てられているというのは神の御前にいること、つまり**ここが神聖な場所であることを表しています。**犬は主人に忠実であるため、昔から「忠誠」を表すシンボルでした。この絵のなかでは**夫婦間の信頼と、妻から夫への愛と貞節を意味しています。**

そのほか、夫であるジョヴァンニ・アルノルフィーニは、左手で妻の手をとり、右手を上に挙げています。これは、**当時の結婚の宣誓を表すポーズでした。**いっぽうの妻チェナーミのほうは、優しいまなざしを夫に向けていて、夫への尊敬を表しています。また、妻のお腹は少し膨らんでいるように見えます。実際に妊娠しているか、子宝に恵まれるようにという願いが込められているものでしょう。このように、〈アルノルフィーニ夫妻の肖像〉は結婚記念のためのおめでたい寓意に溢れているのです。

図表でわかる！ ポイント

描かれているものには意味がある

1本だけ灯った蝋燭

万物を照らす**キリスト**を表し、神の祝福を意味している。

凸面鏡

夫妻と**1組の男女（結婚の保証人）**が描かれ、周りにはキリストの受難が配されている

画家のサイン

「ヤン・ファン・エイク ここにあり 1434年」

手が表す結婚の誓い

夫が妻の手をとり、右手を上に挙げているのは、当時の**結婚宣誓**を表すポーズ（ただし通常は右手同士で握手をする）

ヤン・ファン・エイク
〈アルノルフィーニ夫妻の肖像〉
1434年 ナショナル・ギャラリー ロンドン

妻の視線

優しいまなざしは夫への**尊敬の念**を表している

膨らんだお腹

実際に妊娠しているか、**子宝**への願いを表している

脱ぎ捨てられたサンダル

屋外で使用するサンダルが脱ぎ捨てられている。つまりここが神の御前で、**神聖な場所**であるということを表している

犬

主人に忠実な犬は「忠誠」を表すシンボル。この絵では夫婦間の**信頼**と妻から夫への**愛と貞節**を表している

▶ 03
〈手紙を読む青衣の女〉なぜこのシーンが衝撃的だったのか？

今では何でもない光景でも、当時は先進的な描写

日本でも人気のある17世紀オランダの画家**フェルメール**に**〈手紙を読む青衣の女〉**という作品があります。これは一般家庭の女性が手紙を読んでいる姿を描いたもので、一見ありふれたテーマのように見えますが、じつは17世紀以前にはほとんど見られない光景であり、当時のオランダだからこその主題なのです。

まず、普通の人が手紙のやりとりをするということ自体が、17世紀以降でなければあり得ませんでした。それまでも王侯貴族などが書簡を使者に持たせてやりとりすることはありましたが、17世紀になると一般商人のあいだで文書のやりとりが増えたため、初期の郵便システムがつくられるようになったのです。

さらに、普通の家庭の女性が手紙を読んでいるということが、当時のオランダ固有の社会状況を表しています。西洋の長い歴史において、一般大衆、それも女性が文字を読み書きできるようになったのはごく最近のことです。しかし、**17世紀のオランダでは商人たちが個人事業主として家族総出で商売を営んでいました。そのため、一般家庭の女性であっても文字の読み書きをする必要があったのです。**

一般家庭の女性が郵便物、おそらくラヴ・レターを読んで心をときめかす。今ではなんの不思議もない光景ですが、こうした条件が揃うまでは起こり得なかったことなのです。

ちなみに、17世紀というのはオランダがイギリスとともに世界の覇権を握った時代です。そのため〈手紙を読む青衣の女〉の背景には世界地図が描きこまれています。

図表でわかる！ ポイント

当時は先進的な描写だった〈手紙を読む青衣の女〉

ヨハネス・フェルメール 〈手紙を読む青衣の女〉
1663〜64年頃 国立美術館 アムステルダム

17世紀のオランダでは家族で商売をしていたので
女性も読み書きをする必要があった

▶ 04

〈無原罪の御宿り〉カトリック圏にマリア崇敬の絵が多い理由

カトリックvsプロテスタントが生んだ聖母信仰の流行

西洋では長いあいだローマ教皇を頂点とするカトリック教会が絶大な権威を持っていました。ですが、16世紀に宗教改革が起こり、その権威が揺らぎます。カトリックを批判する人たちは「異を唱える」を意味する「プロテスタント」と呼ばれました。カトリックは信仰対象として神やキリスト以外にも、キリストの母であるマリアやキリスト教の発展に功績の大きかった聖人と呼ばれる人たちも含めていました。しかし、プロテスタントはマリア崇敬や聖人の称揚（しょうよう）などは聖書のどこにも書いていないといって強く非難します。

その結果、ヨーロッパはカトリックとプロテスタントに分裂してしまいました。そこでカトリック側はプロテスタントが否定する要素のいくつかを、いっそう強調していく方針をとります。そのひとつが**マリア崇敬**です。そして、マリア自身が神の意志で生まれたとする**「無原罪の御宿り」**を主題とする絵画がカトリック圏で数多く描かれるようになります。その代表的な作品がスペインの画家**ムリーリョの〈無原罪の御宿り〉**です

「無原罪の御宿り」という考え方はキリスト教のなかに古くからあったものの、聖書に記されているわけではありません。ですので、カトリックも正式には認めていませんでした。しかし、宗教改革の只中であった1661年に、カトリックは「この考えは異端ではない」とお墨付きを出します。カトリックにとっては聖母信仰が高まることが自分たちにとって有利だからです。このように、宗教の対立が美術の主題の流行を決めることもあるのです。

図表でわかる！ ポイント

こうして〈無原罪の御宿り〉は生まれた

カトリック VS プロテスタント

マリアや聖人は功績が大きい!!!

マリア崇敬や聖人のことは聖書にない!!!

よし！
マリアを題材にした絵を増やそう

カトリック

〈無原罪の御宿り〉の誕生

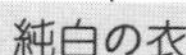

純白の衣
純潔を強調

三日月
処女神アルテミス(月の女神、ローマ神話のディアナ)のシンボル

白ユリ
純潔のシンボル

バルトロメ・エステバン・ムリーリョ〈無原罪の御宿り〉
1660年頃　プラド美術館　マドリッド

▶ 05

〈ぶらんこ〉あまりの背徳さに最初に依頼された絵師は断った

たわいのない遊戯に隠された背徳のエロス

18世紀フランスの後期ロココ絵画（P140）を代表する画家である**フラゴナール**に、**〈ぶらんこ〉**という作品があります。ぶらんこで遊ぶ１人の女性と、その周りにいる２人の男性を描いたもので、一見牧歌的な光景にも見えます。ですが、この作品は当時のフランス貴族たちの自由に恋愛を楽しむ文化を背景に、エロティックな要素がたくさん散りばめられています。

まず、画面の中央には無邪気にぶらんこで遊ぶ女性が描かれていますが、彼女のスカートのすそは大きく広がり、脚が露（あら）わになっています。さらに、脱げてしまったハイヒールが空中を飛んでいます。**脱げたハイヒールは、奔放な官能の象徴です。**

２人の男性のうち、１人はぶらんこで遊ぶ女性を下から見上げ、その脚を嬉しそうに眺めています。そして、ブランコを押しているもう１人の男性は、なんと**キリスト教の司教**なのです。禁欲を求められる司教が男女の戯れの後押しをしているというところに、この絵の持つ背徳のエロスが表れています。そのほか、背景には唇に指を当てた**クピド（キューピッド）の像**が描かれています。２人の関係が公にできないものであることを暗示しているのです。

この作品の注文主はサン・ジュリアン男爵という貴族で、注文内容は**「司教の揺らすぶらんこに私の愛人を描き、彼女の脚をのぞき見できるところに自分を描いて欲しい」**というものでした。そのあまりの背徳さに、最初に依頼された画家は断り、代役としてフラゴナールが描くことになったという逸話があります。

図表でわかる！ ポイント

背徳感満載の「ぶらんこ」はロココ文化の象徴

脱げたハイヒール　奔放な官能の象徴

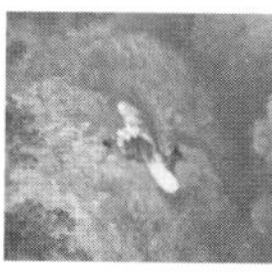

クピドの像

唇に指を当て、2人の秘密の関係性を暗示

注文主

ドレスからのぞく女性の脚をながめるサン・ジュリアン男爵

ジャン・オノレ・フラゴナール〈ぶらんこ〉
1767年　ウォレス・コレクション　ロンドン

キリスト教の司教

ブランコを押して背徳の後押し

当時のロココ貴族たちの自由な恋愛文化を描いた作品

▶ 06

〈メデューズ号の筏〉ドキュメンタリーのようなリアルさを追求

実際に起きた悲惨な事件がテーマとなっている

ジェリコーは19世紀ロマン主義を代表するフランスの画家で、社会的なテーマを得意としていました。そんな彼に**〈メデューズ号の筏(いかだ)〉**という作品があります。大海原を漂流する小さな筏の上に大勢の人がひしめき合い、なかにはすでに死んでいる人もいる情景を、明暗の強い色調で描いた生々しい迫力の絵画です。

この絵は実際に起きた事件を主題にしています。1816年にセネガル沖でフランス海軍のメデューズ号が難破しました。147名の乗員は急ごしらえの筏になんとか乗り込みますが、13日後に筏が発見されたとき、そこに残っていたのはわずか15名でした。極限状態の筏の上では、疫病、殺戮(さつりく)、さらには飢えを満たすための人肉食まで行われていたのです。

この悲惨な事件から2年後、メデューズ号の遭難を絵の主題にすることを決意したジェリコーは、遭難の生存者に取材を行い、さらにリアルな描写を求めて死体や病人のスケッチを繰り返しました。

このような綿密な準備を経て描かれたことで〈メデューズ号の筏〉は、**たんなる芸術作品に留まらず、ドキュメンタリーや報道のような迫真性を持つようになります。**

ロマン主義派は、古代ギリシャ・ローマの文化を理想とし、写実的様式を追求した新古典主義への反発から誕生したものです。彼らは強い感情表現を求めて、歴史上のさまざまなできごとやリアルタイムに起きた事件をテーマにしました。〈メデューズ号の筏〉もその流れのなかで描かれた作品です。

図表でわかる! ポイント

凄惨な事件をリアルに描き出したジェリコー

1816年セネガル沖でフランス海軍のメデューズ号が難破

 2年後

生存者に取材をして描かれた〈メデューズ号の筏〉が完成

死体 生存者への取材でリアルさを追求

食人事件 生存者の証言に人々は驚愕

テオドール・ジェリコー
〈メデューズ号の筏〉
1818〜19年　ルーヴル美術館　パリ

筏を発見した戦艦 筏を発見したアルギュス号が遠くに小さく描かれている

ジャーナリスティックなテーマを多く描いたロマン主義派

▶ 07

〈雨・蒸気・スピード〉目に見えない「速度」を最初に描いた作品

ものすごい速さで突進する鉄の塊に驚き、その動感を描写

イギリスの画家ターナーが1844年に発表した**〈雨・蒸気・スピード〉**は、全体が白っぽくぼやけていて、ちょっと見ただけでは何が描かれているかよくわかりません。細かく見ると、画面右になにやら鉄橋のようなものがかかっていること、そこを手前に向かって蒸気機関車が走っているらしいこと、左手奥には山のようなものと古代様式の石橋があり、それ以外は地面と空が広がっていることはわかりますが、あとははっきりしません。

この絵のなかでターナーが描いているのは、**雨の中をものすごい勢いで走っている汽車の「スピード」そのものです。**実際にはカメラでもなければ、汽車が走っている瞬間を描きとめることは不可能でしょう。この作品はターナーが数秒のわずかな間に彼自身の目で掴(つか)みとったイメージだけが表現されています。そして、一瞬のできごとですから、細かいことまで見えるはずもなく、必然的にイメージは一連の流れによる「動感」のようなものになります。そのため、何が描かれているのかわかりづらいものとなりましたが、同時に**この作品は「スピード」なるものを最初に描きとめた絵として高い評価を得ています。**

19世紀初頭にイギリスで蒸気機関車が発明され、1840年代までにはある程度の鉄道網が完成しました。ターナーは見たこともない速さで突進する鉄の塊に驚き、その動感を描写しようとしたのです。自分の感覚に正直に、**一瞬で掴みとったイメージだけを描写したこの作品は、のちの印象派の先駆け**となりました。

図表でわかる！ポイント

急速な近代化を「スピード」で描く

19世紀初め蒸気機関車が登場

見たこともない速さで疾駆する鉄の塊に驚くターナー

〈雨・蒸気・スピード〉を発表

渡し船
機関車との新旧の対比

古代様式の橋＝「静」と機関車＝「動」の対比

吹きつける雨

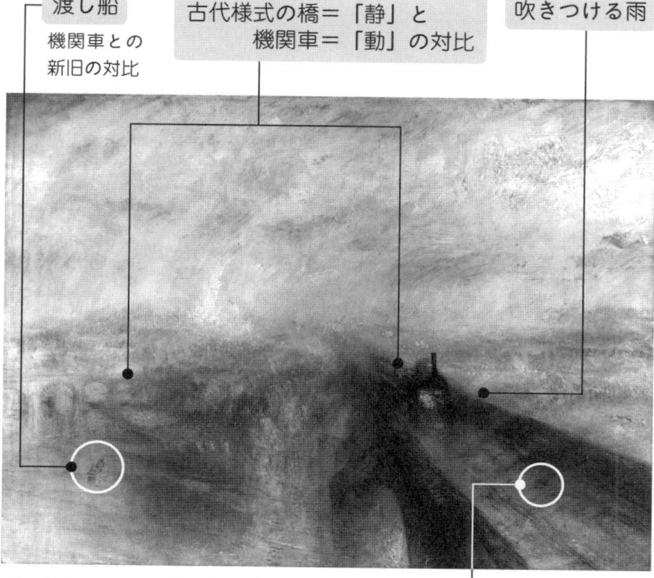

ジョセフ・マロード・ウィリアム・ターナー〈雨・蒸気・スピード〉
1844年　ナショナル・ギャラリー　ロンドン

逃げるウサギ
人間の力によって自然が征服される様子

▶08
〈落穂拾い〉ミレーが描いたのは農民の過酷な生活

牧歌的な景色のなかに潜む階級格差の現実

19 世紀フランスの画家**ミレー**の**〈落穂拾い〉**は日本でも非常に人気の高い作品です。柔らかな光に包まれた農民たちの素朴な姿を描いたこの作品は、日本人にとっては、かつての農村地帯の風景を思い起こさせてくれるため好まれているのでしょう。

一見牧歌的な風景を描いているようですが、画面を隅々までよく見てみると、畑がずいぶんと広いことに気づくはずです。日本人がイメージする畑は、もっと細かく区切られ、境界線代わりにあぜ道があるようなものです。それに比べて、〈落穂拾い〉の畑には区切りがなく、延々と広がっています。さらによく見てみると、画面右側の上に立派な馬に乗った人物が1人描かれています。その姿は、手前の農婦たちが腰をかがめて穂を拾っている姿とは対照的です。

ここからわかることは、**この作品でミレーが描いたのは階級格差だということです。**自分の家族だけが食べていくための小さな畑を各自が持っていた頃とは異なり、ミレーの時代には広大な農地を1人で所有する大地主が農民を大勢雇い入れ、自分自身で、あるいは委託した管理人が指揮して働かせるような社会構造となっていました。その過酷さをミレーは告発しています。

そもそも、刈り入れ後に地面に落ちた穂を拾う行為は、昔から貧しい農民にだけ許されたことです。また、実際にやってみるとわかりますが、この姿勢で落ちているものを拾うのは肉体的にかなりの負担となります。

図表でわかる！ ポイント

広大な農地

荷台に積まれたたくさんの収穫物

馬に乗り監視する**支配階級**

ジャン・フランソワ・ミレー 〈落穂拾い〉
1857年 オルセー美術館 パリ

落穂拾いは貧しい農民たちに許された施し ＝『旧約聖書「ルツ記」』に記述がある

19世紀になると農業にも**近代化**の波が押しよせて、大地主と小作人というはっきりとした階級ができるんだ

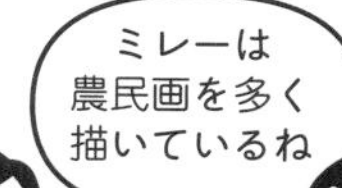

悲壮さは感じないなあ

ジャン・フランソワ・ミレー 〈昼寝〉
1866年 ボストン美術館 アメリカ

ジャン・フランソワ・ミレー 〈晩鐘〉
1857〜59年 オルセー美術館 パリ

▶ 09 〈草上の昼食〉マネの挑戦心が生んだスキャンダラスな作品

新古典主義に反発、斬新な作品を発表するも評価されず

フランスの画家**マネ**が1863年に描いた**〈草上の昼食〉**がサロン（当時の美術展）に出品されると、大きな批判を浴びました。森の水辺でピクニックをしている男女を描いた作品でしたが、男性は服を着ているのに対し、女性は裸です。つまり、**この絵は娼婦との遊びを連想させるものでした。**

マネが批判された理由は、上流階級の社交の場であったサロンに娼婦の絵を出すのは不謹慎だ、というものでした。マネ本人が意図していたかどうかにかかわらず、彼は当時のフランスの美術界で支配的だった美術アカデミーが提唱する**古典至上主義**（P142）に反するような斬新な作品を次々と発表していました。〈草上の昼食〉もその一環として制作されたのです。

ですが、そのようなマネの作風は一般にはほとんど理解されず、作品を発表するたびにスキャンダルとなります。彼が評価されるようになったのは晩年で、亡くなる2年前に**レジオン・ドヌール勲章**を授与されます。しかし、その頃には片足を切断するほどの病にかかっていて、やがて苦しみながら亡くなりました。

印象派を生むきっかけとなったマネでしたが、過去の美術をすべて否定していたわけではありません。〈草上の昼食〉に描かれた人物たちのポーズは、ルネサンス期の画家**ラファエッロ**の作品から借用したものですし、同じくルネサンス期の**ティツィアーノ**からも影響を受けています。マネは古い美術から良いところを受け入れ、その上で新しい美術をつくろうとしたのです。

図表でわかる！ ポイント

新たな芸術を生むことになる作品

サロンでの成功を願っていたマネ

エドゥアール・マネ

(1832～1883年
フランス生まれ)

当時の規範に反する作品を次々と描いて批判を浴びる

1863年〈草上の昼食〉発表

裸の女性と下着の女性

マネの友人と弟

マネの弟と義兄弟となる
友人がモデル

当時セーヌ川のほとりでの
ピクニックが流行していた

エドゥアール・マネ 〈草上の昼食〉
1863年 オルセー美術館 パリ

▶ 10

〈女の三世代〉当時のキリスト教の教えに則って描かれた作品

西洋の定番の主題「メメント・モリ」が根底に流れる

19世紀末のウィーンで活躍した**クリムト**は、自由な表現を求めて**「ウィーン分離派」と呼ばれた芸術運動を主導した画家です。**日本美術やイタリアのモザイク、家業であった金細工の技術などの様々な装飾技法を取り入れた、きらびやかな画風が特徴です。

そんなクリムトの代表作のひとつである〈女の三世代〉には、タイトル通り３人の女性の姿が描かれています。１人は赤ん坊。もう１人はその赤ん坊を抱いた若い女性。そして、もう１人は老女です。赤ん坊はすやすやと眠り、若い女性は幸福そうに目を閉じていますが、老女は顔を覆って嘆いています。

この絵が意味しているものは、**人生の儚さです。**幼児、若者、老人をひとつの絵のなかに描くことで、生まれて、成長し、青春を謳歌(おうか)していたかと思うと、あっという間に老いて死んでしまう命の短さを表現しています。

中世のキリスト教会は、「命は短いのだから、浮かれていないで信心深く生きなさい」という思想を広めました。これを**「メメント・モリ（死を想え）」**といいます。そして、それ以降、「メメント・モリ」を主題とする絵画が数多く描かれるようになりました。

そのなかでも、三世代をひとつの絵に描くという主題は多くの画家が好んだものでした。16世紀の画家**ジョルジョーネ**には三世代の男性を描いた〈人生の三世代〉という作品があります。また、19世紀ドイツの画家**フリードリヒ**は、人と一緒に３種の船を描くことで三世代を表現しました。

図表でわかる！ ポイント

装飾の魔術師が描いた3人の女性が示すもの

グスタフ・クリムト

自由な表現を求めて
ウィーン分離派を立ち上げたクリムト

(1862～1918
オーストリア生まれ)

嘆き悲しむ**老女**
(第三世代)

幸福そうな**若い女性**
(第二世代)

すやすやと眠る**赤ん坊**
(第一世代)

グスタフ・クリムト 〈女の三世代〉
1905年 国立近代美術館 ローマ

金地背景

中世の伝統の復活あるいは
日本の狩野派や琳派の影響

きらびやかな装飾

日本の壁紙やテキスタイルを
参考にした

クリムトが3つの世代を描いた理由

人生の儚さ

▶ 11

同じ裸婦の絵でなぜ賛否がわかれたのか？

アトリビュートをうまく使って描いたティツィアーノ

1538年にティツィアーノが描いた**〈ウルビーノのヴィーナス〉**と、1863年にマネが描いた**〈オランピア〉**は、どちらも横たわる裸婦を描いたもので、女性のポーズから全体の構図まで非常によく似ています。しかし、**ティツィアーノの作品が発表当時から絶賛**され、新たな美の規範として後世に受け継がれていったのに対し、**マネの作品は「娼婦の裸体など不道徳だ」と酷評**されてしまいました。２つの作品には、どのような違いがあるのでしょう。

まず、裸体画を描くとき娼婦にモデルを頼むのはヨーロッパでは一般的なことで、〈ウルビーノのヴィーナス〉も実際には娼婦をモデルとして描かれています。ですが、ティツィアーノは娼婦であることを巧みに隠し、美と愛の女神ヴィーナスだと言い張るための工夫をいくつもしています。例えば、ティツィアーノの絵の女性は手にバラの花を持っています。**バラはヴィーナスを象徴するアトリビュートです。**また、女性の足元には静かに眠る犬が描かれていますが、**犬は西洋では愛と貞節の象徴です。**

いっぽう、マネの作品では女性は首元にリボンをつけていますが、**首のリボンは当時、娼婦の象徴でした。**また、女性の片足からサンダルが脱げていますが、これは**純潔の喪失を意味しています。**さらに、足元には犬ではなく黒猫が描かれています。**猫は「自由」の象徴で、フランス語では女性器を表す隠語でもありました。**マネはティツィアーノの作品をもとに描いていますが、ただ模倣するだけでなく、娼婦を連想させるモチーフに置き換えたのです。

図表でわかる！ ポイント

どちらも裸婦なのになぜ評価がわかれた？

ティツィアーノ〈ウルビーノのヴィーナス〉

足元の犬
愛と貞節の象徴

金髪
美人の条件

バラの花
ヴィーナスのアトリビュート（持物）

ティツィアーノ　ヴェッチェッリオ
〈ウルビーノのヴィーナス〉
1538年　ウフィツィ美術館　フィレンツェ

マネ〈オランピア〉

片足だけ履いたサンダル
純潔の喪失

首元のリボン
娼婦の象徴
この女性は〈草上の昼食〉（P64）でもモデルを務めた

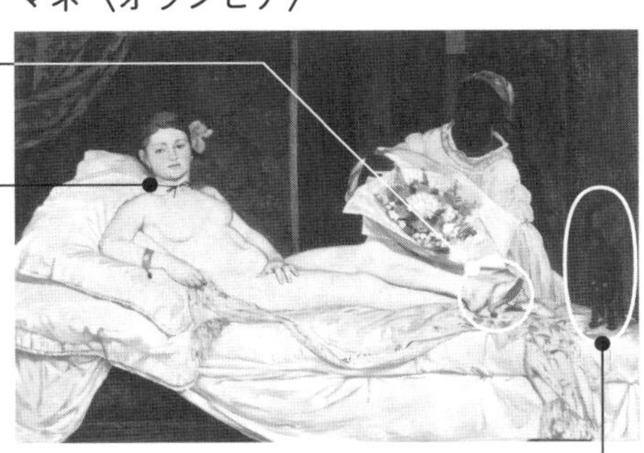

エドゥアール・マネ　〈オランピア〉
1863年　オルセー美術館　パリ

足元に座る猫
猫はフランス語で「女性器」を表す隠語

ティツィアーノ
＝**女神**を連想させた

マネ
＝**娼婦**を連想させた

→ 決定的な差

column

世界の四大美術館②
メトロポリタン美術館

メトロポリタン美術館はアメリカのニューヨーク市マンハッタンの5番街に面したセントラル・パークの東端にあり、地元ではMet（メット）という愛称で親しまれています。建物の面積は約19万平方メートルで、世界でもっとも大きな美術館です。

1776年の独立以来、アメリカには長い間、国際的規模の美術館が一つも存在していませんでした。そこで、1864年にメトロポリタン美術館の設立構想が持ち上がります。とはいえ、この時点では美術館の建物はおろか、1点の美術品もありませんでした。しかし、1870年に開館すると、基金による購入やコレクターからの寄贈によって収蔵品数は瞬く間に増えていき、現在では300万点ほどの美術品を所蔵する世界有数の美術館となっています。

メトロポリタン美術館の特色は、これだけの規模の美術館でありながら国立や州立といった公立の施設ではなく、私立の美術館であるということです。また、入館料は長年「希望額」として掲示されているだけで、実質無料でした。ただし、2018年3月以降、ニューヨーク市民およびニューヨーク近郊の住民以外は、入館料の支払いが義務化されています。

西洋美術の所蔵品としては、ヴェロッキオの〈聖母子像〉、ダヴィッドの〈ソクラテスの死〉、ゴッホの〈糸杉〉、ゴーギャンの〈二人のタヒチの女〉などが有名です。

第3部

西洋美術の「技法」「ジャンルわけ」を知る

10 hours
Art history Studies **3**

技法

▶ 01

「美の追求」と「コスト」。矛盾する2つをどう両立させるか？

「美的追求」と「経済原理」のせめぎ合いの歴史

美術の技法には、**モザイク**、**フレスコ**、**テンペラ**、**油彩**などさまざまなものがあります。これらの技法は、**「いかに美しくするか」という目的（美的追求）**と、**「いかに安価にするか」という必要性（経済原理）**という、ときに矛盾する２つの要素が複雑に絡み合いながら変化し、発展してきたものです。

ピラミッドや始皇帝陵などの巨大な建造物を築いた古代の君主たちは、絶大な権力を持っていました。そのため、芸術にもさほど経済性は求めず、美的追求だけに関心を示します。そこで、コストはかかりますが、もっとも色彩が美しく退色しづらい色のついた石を壁に貼り付けるモザイクがよく使われました。

ただ、モザイクはあまりにコストがかかりすぎます。そこで考案されたのが、色のついた石を細かく砕いて粉（顔料）にして薄く塗り広げるフレスコです。これにより大幅にコストは下がります。

しかし、フレスコには短時間で描かなければならないという弱点がありました。また、**モザイクやフレスコは基本的に壁画を描くときに使われる技法**です。普通の家に壁画を描くような巨大な壁はありませんから、これらの技法による作品を持つことができるのは君主や教会などに限られました。そこで次第に、より安価で扱いやすい木の板に描かれるようになり、顔料と固着剤となるニカワを卵で混ぜ合わせるテンペラが登場。さらに、卵の代わりに油を使う油彩が考案されます。そして、基材も木の板よりももっと手軽で扱いやすく、安価なカンヴァス（画布）が用いられるようになります。

図表でわかる！ ポイント

美術の技法はこうして発展した

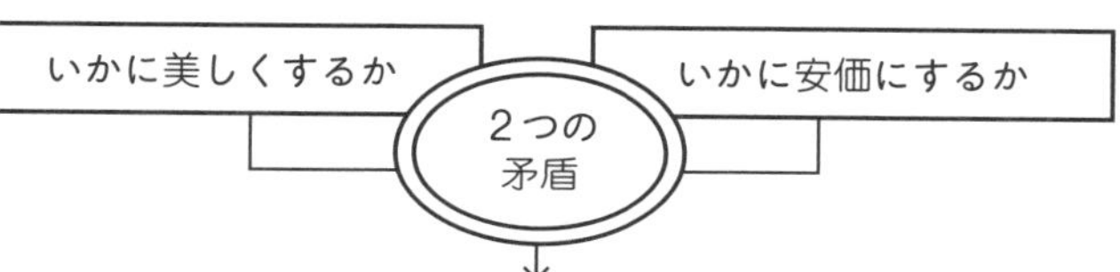

美術の技法の発展につながる

モザイク

美しいがお金もかかる

もっと安く

「モザイク」の例

〈皇妃テオドラ〉（部分）
547年　サン・ヴィターレ聖堂
ラヴェンナ

フレスコ

コストは下がるが
短時間で描かねば
ならない

壁画でない場合に
どうするか

「フレスコ」の
“ジョルナータ”の例

マザッチョによるブランカッチ礼拝堂壁画の一場面
Evelyn Welch, Art and Society in Italy 1350-1500, Oxford and New York, 1997.
による

テンペラ＋木の板

顔料とニカワを卵で
混ぜて木の板に描く

「テンペラ＋木の板」の例

フィリッポ・リッピ
〈聖母子〉
1465 年頃　ウフィツィ美術館
フィレンツェ

油彩＋カンヴァス

卵の代わりに油を使い
カンヴァス（画布）に描く

「油彩＋カンヴァス」
の例

アールト・デ・ヘルデル
〈老婦人の肖像画を描く自画像〉
1685年　州立美術館
フランクフルト

10 hours
Art history Studies 3

技法

▶ 02

発色がよく、色あせしない「モザイク画」

コストがかかりすぎるのが最大の難点

モザイクとは、もともと色がついている石をそのまま壁に貼り付ける技法です。約1センチメートル四方程度の小さな**キューブ(テッセラ)**にしたものを、2人1組になって、1人が必要な色のテッセラを渡し、もう1人が漆喰を塗ったばかりの壁に埋め込むという形で制作されました。

モザイクのメリットは、色彩原料を粉にすることなくそのまま用いるので、顔料の粒子も密なままであるため、とにかく**発色が強く鮮やかなことです。**また、退色が少ないことも利点です。退色は基本的に太陽光によって引き起こされますが、モザイクは密度が高く、粒子に太陽光が当たる面積が少ないため、**ほとんど色あせないのです。**1500年近くも昔のモザイク画が、制作当時と変わらない輝きを保っているのはそのためです。

弱点は**地震などの揺れに弱いことです。**テッセラは壁に半分埋め込んであるだけですので、少し強い揺れがあるとはがれ落ちてしまいます。さらに、細い線を描こうと思っても、テッセラを並べて線にするので、あまり精密な描写はできません。

さらに、それ以上のデメリットは**コストがかかりすぎる**ということです。色彩原料となる色のついた石をそのまま用いる技法は、粉にして薄く延ばして用いる他の技法と比べたとき、同じ量の原料で描ける面積に格段の違いがあります。そのため、時代を経るにつれ、モザイクは徐々に姿を消していきました。ただイタリアの**ラヴェンナ**などには、モザイクの名品が数多く残されています。

図表でわかる！ ポイント

注文主が絶大な財力を有していたから描けた「モザイク画」

〈善き羊飼い〉
5世紀半ば　ガッラ・プラチディア廟　ラヴェンナ

長所

・発色が強く鮮やか
・ほとんど色あせない

短所

・地震に弱い
・細かい描写ができない
・コストがかかりすぎる

10 hours Art history Studies 3

技法

▶ 03

定着力でモザイク画に勝り、細やかな造形が可能な「フレスコ画」

修正がきかないため短時間で一発勝負の技法

フレスコは色のついた石などの色彩原料を細かく砕いて粉にし、それを水で溶いて、薄く漆喰を塗った壁や天井に筆で顔料を染み込ませるように描く技法です。描かれる基材は壁や天井ですので、もちろん地震などには弱いのですが、乾くときに顔料も壁と一体化するため**モザイクよりも定着力で勝り、筆で描くために細かな造形も可能になりました。**ヨーロッパの教会や宮殿に残っている壁画の多くは、このフレスコで描かれています。

弱点は**漆喰が乾くまでの短い時間で描かなければならないことです。**フレスコは、英語で「新鮮」を意味するフレッシュとほぼ同じ意味で、漆喰が「新鮮」なうちに描く必要があります。そのため、作業は大急ぎになります。

また、いったん塗った顔料は壁と一体化してしまうため、塗り直せないのも大きな制約でした。漆喰が乾いたあとでも、ニカワなどの固着剤を使って補筆することは可能ですが、定着力が弱いため時間が経つとほとんど落ちてしまいます。漆喰が乾いてから行う補筆は、「乾いた」という意味の**フレスコ・ア・セッコ**と呼ばれ、湿った状態で行われるものは「良い／正しい」という意味の**ブオン・フレスコと**呼ばれ、区別されます。

フレスコで１日に塗ることのできる範囲のことを**「ジョルナータ（１日分の作業量）」**といいます。大きな壁画は、このジョルナータでいくつかに区切られ描き進められました。フレスコをよく見てみると漆喰の重なりがあるため、ジョルナータの順番もわかります。

図表でわかる！ ポイント

塗り直しができないため画家の「腕」が試される「フレスコ画」

壁や天井

色のついた石を粉にし、水で溶いて壁や天井に塗った漆喰に染み込ませるんだね

ジョット・ディ・ボンドーネ 〈最後の審判〉（部分）
1300〜05年頃 スクロヴェーニ礼拝堂 パドヴァ

長所

- 定着力がある
- 筆での細かな造形が可能

短所

- 漆喰が乾く前に急いで描かねばならない
- 塗り直しができない

10 hours Art history Studies 3

技法

▶ 04

低コストで修正も容易。多くの傑作が誕生した「テンペラ画」

木の板に描くため、湿度によって反ってしまうのが困りもの

モザイクやフレスコで描かれた壁画は一部の裕福な人たちだけのものでした。しかし、もっと幅広い層からも美術品が求められるようになると、扱いやすく安価な木の板に絵が描かれるようになります。

壁と違って木の板に漆喰は使えないので、顔料の粉を板の表面に定着させるために「固着剤」というものを用います。固着剤には、おもにウサギなどからとられたニカワが使われ、これと顔料を混ぜ合わせるために卵を用いたものが**テンペラ**です。

木の板ならば容易に手に入るため、**テンペラ技法によって絵画の制作コストはさらに抑えられるようになりました。**フレスコとは違って、**急いで作業する必要がないのも利点です。**筆で描くために細かな造形もでき、ある程度なら塗り直しができるようになったことも芸術家にとっては魅力的でした。ルネサンス期には**ボッティチェッリ**の**〈春〉**や**リッピ**の**〈聖母子〉**など、木の板にテンペラで描かれた傑作が数多く制作されています。

しかし、木の板は湿度などによって徐々に反(そ)りはじめます。あまりに反ってしまうと上に塗られた顔料層の間に隙間ができはじめ、ひどい場合には剝離(はくり)してしまいます。また、壁よりは扱いやすいとはいえ、木材は重く、持ち運びには難がありました。

そのため、**油彩＋カンヴァス（画布）**の組み合わせが定着していくと、テンペラ＋木の板の組み合わせは衰退していきます。ただ、現代でも技法として完全に消え去ったわけではありません。

図表でわかる！ ポイント

塗り直しができるため急いで描かなくてよい「テンペラ画」

木の板

サンドロ・ボッティチェッリ
〈春〉
1482年頃　ウフィツィ美術館　フィレンツェ

長所

・木の板は入手しやすい
・制作コストが安い
・急いで描かなくていい
・塗り直し可能

短所

・板は反りやすいため
　顔料が剥離することも……
・木材は持ち運ぶには重い

▶05 コスト、造形、修正…色んな面でメリットの大きい「油彩画」

「油彩」＋「カンヴァス（画布）」　絵画のスタンダードの誕生

一般的には油絵とも呼ばれる油彩画は、15世紀初頭のオランダで考案されました。とくに、兄と弟がともに画家であった**ファン・エイク兄弟**がその開発に大きな貢献をしたとされています。

テンペラが顔料とニカワを混ぜ合わせるのに卵を使うのに対し、油彩では**卵の代わりに油が使われました。**絵具自体の違いはそれだけですので、テンペラと油彩は兄弟のような関係ともいえます。

油彩の利点もテンペラと基本的には変わりませんが、**油彩のほうがより塗り直しが容易で、ぼかしなどの繊細な表現がしやすいという特徴があります。**いっぽうで、卵よりも油のほうが変色しやすく、さらに最後に艶出し（つやだ）しと保護のために表面に塗るニスが変色してしまうため、**時間が経つにつれて発色がにぶくなってしまうのが油彩の弱点です。**それでも、手軽さとコストの面から、次第にテンペラよりも油彩のほうが優勢になっていきました。

ところで、初期の油彩はテンペラと同じように木の板に描かれていました。しかし､ヴェネツィアでは木の板ではなく**カンヴァス（画布）**にテンペラで描く画家が出てきました。**画布は木の板よりも手軽で扱いやすく、価格もぐっと低いのが利点です。さらに、木のように反ることで絵具層と剥離（はくり）してしまうこともありません。**

やがて、画布を使う画家が増えていき、17世紀のオランダで油彩＋画布の組み合わせが定着しました。当時のオランダの商人たちは自宅を飾る絵に、板よりも軽い画布とコストの低い油彩という組み合わせを好み、以後これが絵画のスタンダードとなっていきます。

図表でわかる！ ポイント

絵画表現に革新をもたらした「油彩画」

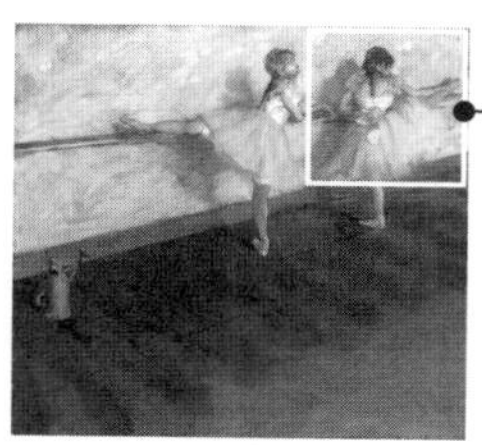

エドガー・ドガ
〈レッスン中の二人の踊り子〉
1877年　メトロポリタン美術館
ニューヨーク

長所

- テンペラ画よりさらに塗り直しが簡単
- ぼかしなど繊細な表現ができる

短所

- 時間が経つと油とニスが変色して発色がにぶくなる

▶ 06 速乾性があり、淡色や透明度の高い色に強みを持つ「水彩画」

透明水彩絵具が開発された19世紀のイギリスで発展

水に薄く溶いた顔料で描く水彩は、テンペラや油彩と違って速乾性があり、**淡い色や透明度の高い色を出すことができるのが特長です。**そのため、**大気や水などの繊細な表現にも適しています。**

絵画の技法としての歴史は古く、旧石器時代の洞窟壁画にも使用されていました。ただ、長いあいだ西洋美術で主流となることはなく、ルネサンス期にはスケッチや模写を描くときに用いられるなど、脇役的な存在でした。

そんな水彩が著しい発展を遂げたのが、19世紀のイギリスです。当時、新興の中産階級が国内旅行を楽しむようになりました。彼らが旅行の記念写真の代わりに、水彩で紙に描かれた安価な**「地誌的風景画」**を求めたことが普及の要因となったのです。また、**グリセリン**が発明されたことで、**長期保存**のできる**透明水彩絵具**が開発されたことも流行の原因の１つでした。

地誌的風景画の第一人者だった**ウィリアム・ターナー**によって、水彩画の技術はさらに発展します。ターナーは後年油彩画も描いていますが、その際にも水彩の技法を取り入れています。また、詩人で画家の**ウィリアム・ブイレク**は、数々の幻想的な水彩画を残しています。

水彩は油彩と違って描き直しがいっさい利かないため色彩センスを問われますが、乾きが速いため時間が限られる戸外での制作にも向いています。

図表でわかる！ ポイント

速乾性があるため戸外のスケッチで好まれた「水彩画」

ジョセフ・マロード・ウィリアム・ターナー〈カーナヴォン城の眺め〉
19世紀前半　個人蔵

長所

- 淡色や透明度の高い色を出せる
- 水があれば手軽に描ける
- 戸外での制作にも向いている
- 速乾性がある

短所

- 描き直しが利かない

▶ 07

聖書の内容を伝える役割を果たしていた「ステンドグラス」

ゴシック様式の広い窓を飾る装飾として登場

ヨーロッパの教会というと、美しいステンドグラスを思い浮かべる人も多いでしょう。ですが、最初から教会にステンドグラスが飾られていたわけではありません。

12世紀以前の**ロマネスク様式の教会では壁で天井の重さを支える**ため、大きな窓を設けることができませんでした。しかし、交差ヴォールト（P123）という建築技術の革新が起き、**ゴシック様式で建てられるようになった教会では広い窓の設置が可能**になります。そこで、その窓を飾る装飾として**ステンドグラス**が登場したのです。

ステンドグラスとは「染みをつけられたガラス」という意味です。溶けたガラスに混ぜる鉱物によって色が変わります。ガラス工房によって秘密の工法があったそうです。

そうやって作られた色ガラスを鉛の枠でつなぎ、窓にはめてステンドグラスは制作されます。さらに、表面に黒褐色のうわぐすりを塗ることで、細かな曲線や陰影をつけることもできます。

もっとも美しくステンドグラスを鑑賞できるのは、晴れた日の日中です。差し込む陽の光によって、ガラスはまるで宝石のように輝きます。

現在は、純粋な装飾品として制作されるステンドグラスですが、昔は絵画と同じように、**文字の読めない人のために聖書の内容を伝える役割も果たしていました。**パリの**サント・シャペル聖堂**にある**「聖書の諸場面の連作ステンドグラス」**はその代表的なものです。ほかにも、様々な聖書の場面がステンドグラスの主題となりました。

図表でわかる！ ポイント

ガラス窓から極彩色の光が差し込む「ステンドグラス」

ゴシック様式の
教会の誕生により
広い窓の設置が可能になり
ステンドグラスが誕生!!

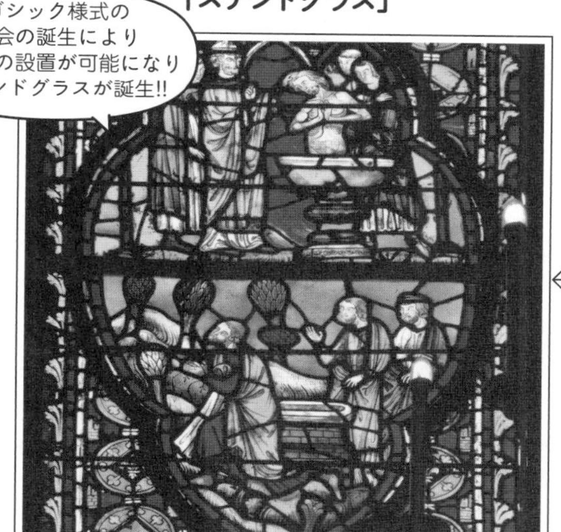

ステンドグラス＝
「染みをつけられた
ガラス」という
意味なんだね

文字の
読めない人でも
聖書の内容が
わかるように
つくられたんだ

聖書の諸場面の連作ステンドグラス
13世紀半ば　サント・シャペル聖堂　パリ

長所

- 広い窓を装飾できる
- 文字が読めない人に聖書の内容を伝えることができる
  (読み書きができない人のための聖書)
- 教会内が明るく極彩色の光で満たされる

短所

- 鑑賞が天候に左右される
  (最も美しいのは晴れた日の日中)

10 hours
Art history Studies 3

技法

▶ 08

色鮮やかな挿絵と、装飾的な書体で書かれた「彩飾写本」

高価な美術品として扱われた「書物」

グーテンベルクによって活版印刷技術が発明される15世紀半ばまで、西洋では本は木版印刷によるものか、人の手によって書き写されたものでした。そのような**手作業で書き写した本のことを「写本」といいます。**

その写本のなかでも、**色鮮やかな挿絵が入り、装飾的な書体で文字が書かれたものを「彩飾写本」といいます。**中世の修道院などでは、聖書や祈禱書といったキリスト教関連の彩飾写本が数多く制作されました。

彩飾写本の素材には、仔羊や仔牛のなめし皮を薄くして、滑石(かっせき)で磨いた羊皮紙が使われました。挿絵は鉛丹(えんたん)などの赤色系顔料で下塗りし、テンペラで色がつけられます。また、ところどころに金箔(きんぱく)が貼られることもありました。

このように非常に手の込んだ彩飾写本は、書物であると同時に美術品とも見なされ、極めて高価なものとして扱われました。15世紀フランスの**ランブール兄弟**が**ベリー公ジャン**の注文によって制作した**『ベリー公のいとも豪華なる時禱書』**は、世界でもっとも豪華で美しい彩飾写本と呼ばれています。また、制作年代はおろか、書かれている文字も解読できず、多数の奇妙な絵が描かれた**〈ヴォイニッチ写本〉**という謎めいた彩飾写本も残されています。

傷みやすく、保存が難しい彩飾写本は、あまり一般に公開されることはないので、なじみが薄いかもしれません。ですが、中世ヨーロッパの重要な美術であることは確かです。

図表でわかる！ ポイント

世界に一冊しかない中世の重要な芸術「彩飾写本」

色鮮やかな挿絵が入り、
装飾的な書体で文字が書かれたもの

彩飾写本

世界でもっとも美しい彩飾写本

＝

『ベリー公のいとも豪華なる時禱書』

※時禱書＝祈禱文、賛歌、暦などからなる日々の祈りのための本

手の込んだ
彩飾写本は
美術品と
みなされたんだね

ランブール兄弟
〈新年の宴につくベリー公〉
『ベリー公のいとも豪華なる時禱書』
1413〜16年　コンデ美術館　シャンティイ（フランス）

▶ 09

美術品の量産を可能にした「木版画」と「銅版画」

挿絵として普及した「木版画」、陰影をつけられる「銅版画」

版画は板に図を彫り、インクをつけて圧力をかけることで紙に図を転写する技法です。図を彫る板の素材によって、彫られ方や作品の出来上がりの特徴も大きく違ってきます。西洋美術における版画は、おもに**木版画**と**銅版画**にわけられます。

柔らかい木の板に図を彫る**木版画は、図柄の線以外をすべて彫る凸版印刷**となります。木に耐久性が乏しいため、大量生産には向きませんが、温かみのある太い線が魅力です。15 世紀に活版印刷技術が発明されると、木版画は書物の挿絵としても広く使われるようになりました。代表的な木版画の作品に、**デューラー**の**〈四騎士〉**があります。

いっぽう、硬く加工しにくい銅の板に図を彫るのが銅版画です。こちらは木版画とは違い、**印刷で出したい線のみを削る凹版印刷**となります。木版よりもずっと細い線を表現できるため、線や点を使って図柄に陰影をつけることもできます。また、出来上がりはやや硬質な印象を与えるものになります。　銅板を彫る技法には、彫刻刀で直接線を刻む**エングレービング**や、銅板を耐酸性の樹脂で覆い、鋼鉄の針で線をつけたあとで硝酸塩に浸して銅を溶かして図柄を刻む**エッチング（腐食銅版画）**などがあります。代表的な銅版画としては、**ライモンディ**の**〈パリスの審判〉**や**ピラネージ**の**〈ローマの歴史の寓意的扉絵〉**などが有名です。

木版画も銅版画も、活版印刷技術が発明されるまでは文化の伝播に大きな役割を果たした芸術といえるでしょう。

図表でわかる！ ポイント

「木版画」と「銅版画」の違い

木版画の特徴

・凸版印刷　・温かみのある太い線　・書物の挿絵

アルブレヒト・デューラー
〈四騎士〉
『ヨハネ黙示録』連作より
1498年　メトロポリタン美術館　ニューヨーク

銅版画の特徴

・凹版印刷　・陰影をつけられる　・硬質なイメージ

マルカトニオ・ライモンディ
（ラファエッロの下絵に基づく）〈パリスの審判〉
1514～16年頃　州立美術館　シュトゥットガルト

10 hours
Art history Studies 3
技法

▶ 10

単色のグラデーションで描くだまし絵「グリザイユ」

油絵の下絵や版画の本絵としても活用される

グリザイユという技法は、あまり聞き慣れないものかもしれません。灰白色、あるいは茶色などの単色の顔料を、ごく薄く、何度も何度も油で塗り重ね、グラデーションだけで対象を描く技法のことです。単色だけしか使われないため、**モノクローム**と呼ばれることもあります。

非常に時間がかかりますが、この技法で描いたものは大理石像のようにすべすべとした質感を得ることができます。とくにルネサンス期には、古代風の演出として古代彫刻を描き込む際に活用されました。

このグリザイユを用いた絵で有名なのが、15 世紀ベルギーの画家**ハンス・メムリンク**の**〈最後の審判の三翼祭壇画〉**という作品です。この絵のなかでは、本作の寄進者とその妻がひざまずいて祈りを捧げる姿とともに、それぞれの上に**聖母子像**と**大天使ミカエル像**が描かれています。

２人の人物がやや平面的に描かれているのに対し、像はまるで本物の大理石の彫刻のような立体感を持っています。いわば**だまし絵**のような効果になっているのですが、この大理石像を描いた技法がグリザイユです。大理石像は、本物らしいなめらかな質感を出すため、ほとんど筆致を残さずに描かれています。

フルカラーで描くよりも絵具代を安く抑えられるため、グリザイユのみで作品が仕上げられることもありました。また、油絵の下絵や版画の本絵としても活用されました。

図表でわかる！ ポイント

大理石のようなすべすべとした質感が特徴の「グリザイユ」

ハンス・メムリンク
〈最後の審判の三翼祭壇画〉（両翼外面）
1467〜71年　国立博物館　グダニスク（ポーランド）

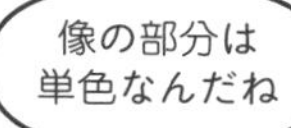

10 hours
Art history Studies 3

技法

▶ 11

あらゆる美術の基礎となる「素描」

優れた素描は、絵画同様コレクションの対象となった

素描（スケッチ）は、あらゆる美術の基本を支える技法です。素描とは、大まかにいえば線で物体の形態をとらえること、およびそうして描かれた作品のことです。フランス語では**デッサン**、英語では**ドローイング**、イタリア語では**ディセーニョ**と呼ばれています。

画材は、紙に鉛筆、インク、木炭、チョーク、クレヨンなどが用いられます。また、その上から水彩で色がつけられることもあります。

ルネサンス期にフィレンツェを中心に**「素描こそがすべての美術の基本である」という考え方が定着しました。**以後、美術アカデミーでも修業の基本として重視されるようになります。

また、18世紀に盛んになった新古典主義でも、この思想が掲げられました。今でも美術を学ぶ際には、たいていの場合、素描の訓練から始めます。

本来は練習や下絵としての役割が強かった素描ですが、紙の普及や画家の地位が向上したこともあり、17世紀頃から作品としての価値が上昇しました。そのため、優れた素描は絵画と同じようにコレクションの対象となり、あるいは素描集なども出版されるようになります。

有名な素描としては、**レオナルド・ダ・ヴィンチの〈猫の聖母子のための習作〉**などがあります。この素描は完成作品の構図を決めるための習作ですが、これをもとにして制作された作品が発見されていないため、貴重なものとなっています。

図表でわかる！ ポイント

「素描」こそがすべての美術の基本である

素描（スケッチ） ＝ 絵の練習や下絵の役割

17世紀頃からコレクションの対象

レオナルド・ダ・ヴィンチ〈猫の聖母子のための習作〉
1478年頃　大英博物館　ロンドン

ワンポイント

このレオナルド・ダ・ヴィンチの作品は、構図を決めるために描かれたもので、完成作品は見つかっていない

▶ 12

膨大な時間をかけて制作される高価な織物「タペストリー」

下絵は有名画家が描くこともあり、非常に数が少なく貴重

タペストリーとは織物の一種です。紀元前4〜1世紀頃のヘレニズム時代からあったとされ、14世紀初頭のヨーロッパで現在のような材料や技法へと発展しました。筆で描く絵画とは違い、一本一本の糸の集まりで作られるタペストリーは、**完成までに膨大な時間を要することもあって、非常に高額**で取引され、美術品として愛好されました。

タペストリーは、まず下絵の制作から始まります。その下絵をもとに織っていきますが、このとき絵柄はすべて横糸だけで表され、縦糸は見えないように横糸の裏に隠しながら織られていきます。縦糸にはおもに木綿糸が、横糸には羊毛や絹糸が使われました。また、なかには横糸に金糸などを織り込んだ贅沢なタペストリーも作られています。

ところで、タペストリーの下絵は、織る際に転写されるため、完成品とは反転した構図になっています。システィーナ礼拝堂の下部を飾るため、16世紀に**教皇レオ10世**が発注した**〈奇跡の漁(すなど)り〉**の下絵は、盛期ルネサンスを代表するイタリアの画家**ラファエッロ・サンツィオ**が描いています。その下絵をもとに実際にタペストリーを織ったのは、**ピーテル・ファン・アールスト工房**でした。

このように、下絵を有名な画家が描き、職人や工房がタペストリーに仕上げるという分担作業が一般的でした。ただ、下絵はタペストリーが完成すれば不用品となるため、**現存する下絵は極めて貴重です。**

図表でわかる！ ポイント

下絵が大変重要になる「タペストリー」

一本一本の糸の集まりでできるタペストリー

完成までに膨大な時間がかかる

下 絵

有名な画家が
描いていることも

ラファエッロ・サンツィオ

（1483〜1520イタリア生まれ）
「聖母の画家」と呼ばれる

ラファエッロ・サンツィオ
〈奇跡の漁り（タペストリーのための下絵）〉
1515〜16年　ヴィクトリア・アンド・アルバート美術館　ロンドン

タペストリー

※転写するため**下絵を反転**したものが仕上がりとなる

ピーテル・ファン・アールスト工房
〈奇跡の漁り（ラファエッロの下絵に基づくタペストリー）〉
1516〜21年頃　ドゥカーレ宮殿　マントヴァ

10 hours
Art history Studies 4
ジャンル

▶ 01

美術作品のジャンルは「そこに何が描かれているか」で決まる

「モチーフ」によって「ジャンル」はわけられる

音楽にクラシックやジャズ、ロック、ブルースなど様々なジャンルがあるように、美術作品も多くのジャンルにわかれています。4章ではジャンル別に絵画を見ていきます。

聖書の一場面を描いた**「祭壇画」「宗教画」**、神話の一場面を描いた**「神話画」**、歴史の一事件を描いた**「歴史画」**、特定の人物を描いた**「肖像画」**、画家が自分を描いた**「自画像」**、風景を描いた**「風景画」**、食器や果物、花などを描いた**「静物画」**、庶民の日常生活を描いた**「風俗画」**、社会風刺のために描いた**「風刺画」**、裸体の女性を描いた**「裸体画」**、特定の概念やメッセージが込められた**「寓意画」**……。

絵画の場合は、ジャンルわけの基準は**「そこに何が描かれているか」**です。それは具体的なものではなく、頭に浮かんだイメージを色や線で表したものでもかまいません。このように作品に描きこまれる要素を**「モチーフ」**といい、そのモチーフの違いによって作品は異なるジャンルにわけられるのです。

もっとも、音楽でロックとブルースを明確にわけることが難しいように、絵画のジャンルも厳密にはわけづらいことが多々あります。例えば、女性の裸が描かれていれば「裸体画」のようですが、その女性が神話の女神ならば「神話画」と見ることもできます。また、宗教画を描いて欲しいという依頼を受け、とりあえずは条件を満たす作品を描いたものの、画家当人は絵のなかの風景を描くことに重点を置いていたということもあります。それでも、ジャンルは絵画を理解する入口としては役にたつものです。

図表でわかる！ ポイント

基準はあるものの厳密ではない絵画のジャンルわけ

絵画のジャンルわけの基準  そこに何が描かれているか？

〘各ジャンルの絵画の一例〙

宗教画

ジョット・ディ・ボンドーネ
〈荘厳の聖母（オニサンティの聖母）〉
1310年　ウフィツィ美術館
フィレンツェ

風景画

ヤコブ・ファン・ロイスダール
〈ワイク・バイ・ドゥールステーデの風車〉
1668～70年頃　国立美術館
アムステルダム

肖像画

ジョヴァンニ・ベッリーニ
〈レオナルド・ロレダンの肖像〉
1501～02年頃　ナショナル・ギャラリー
ロンドン

静物画

ミケランジェロ・メリージ・ダ・カラヴァッジョ
〈果物籠〉
1597年頃　アンブロジアーナ絵画館
ミラノ

自画像

アルブレヒト・デューラー
〈1500年の自画像〉
1500年　アルテ・ピナコテーク
ミュンヘン

風俗画

アンニーバレ・カラッチ
〈豆食う男〉
1583～85年　コロンナ美術館　ローマ

10 hours
Art history Studies 4
ジャンル

▶ 02

聖書の物語やキリスト教の教えがモチーフの「祭壇画」

祝祭やミサなど、特別な日にだけ公開されるものもある

「祭壇画」 は教会の祭壇を飾るために作られたもので、おおむね複数のパネルから構成されています。2枚のパネルからなる二連式や両脇に扉がついた三連式、それ以上の数の複数のパネルからなる多翼式など、構成するパネルの数は様々です。また、扉がつけられているものには、祝祭やミサなど特別な日にだけ開かれるものもありました。

教会に飾られるものですから、描かれるモチーフは基本的に聖書のなかの物語やキリスト教の教えに基づいたものになります。そのため **「宗教画」の一分野** をなしています。ただ、ヨーロッパでは17世紀頃までは宗教画が絵画の大半を占めていましたので、あえてここでは、そのなかの祭壇画を1つのジャンルとして紹介します。

代表的な祭壇画に、15世紀にベルギーのファン・エイク兄弟が制作し、聖バーフ大聖堂に飾られている **〈ヘントの祭壇画〉** があります。この大作は、兄弟にとっても代表作と見なされています。

全体は12枚のパネルで構成されていて、中央上段にはキリストのイメージが重ねあわせられた父なる神が描かれています。その両脇のパネルには、聖母マリアと洗礼者ヨハネが描かれ、それを挟むようにさらに外側のパネルには音楽を奏でる天使たちと、アダムとエヴァが描かれています。下段では、中央にキリストの復活を表す仔羊を描いたパネルがあり、その両脇に天使や十二使徒、ローマ教皇、聖人、殉教者を描いたパネルがあります。

当時の人たちは、圧倒的な迫力の本作を前にしたとき、難解な教義は理解できなくても、自然と敬虔（けいけん）な気持ちになったことでしょう。

図表でわかる！ ポイント

見る者を祈りの世界へ誘う「祭壇画」

教会の祭壇を飾るための絵

＝

祭壇画

＝

モチーフは聖書の物語やキリスト教の教え

ファン・エイク兄弟
〈ヘント（ゲント）の祭壇画〉
1425～33年　聖バーフ大聖堂
ヘント（ベルギー）

10 hours Art history Studies 4

ジャンル

▶ 03

ジャンルとして成立したのは17世紀と意外に遅かった「風景画」

宗教画において、長らく風景は背景に過ぎなかった

自然の風景を描いた**「風景画」**は絵画のジャンルとしては一般的なように思われるかもしれませんが、じつは成立したのは17世紀とかなりあとのことです。それまではおもに教会がパトロンだったため、求められるのは宗教画ばかり。主たるモチーフは人物で、風景は背景に過ぎませんでした。

そんな状況のなか、イタリアの画家**カラッチ**が1603年に描いた**〈エジプトへの逃避〉**は、聖書の一場面がテーマであるにもかかわらず、イエスや聖母マリア、ヨセフは小さく描かれ、画面の9割を風景が占めています。画家としての、せめてもの抵抗だったのでしょう。

このような流れが最初に変わったのは、17世紀のオランダでした。当時の**オランダで社会の中核を担うようになった商人たちは、自宅を飾るための絵を注文**するようになります。このときキリストの磔刑図のような痛々しいものよりも、ニュートラルな主題が求められました。そこで、積極的に風景画が描かれるようになったのです。

17世紀のオランダで数多くの「風景画」を描いて成功した画家に**ロイスダール**がいます。ただ、ロイスダールの絵には、その頃のオランダ経済を支える原動力となった風車や船が多く描きこまれています。これは、発注主の商人たちにおもねったものでしょう。

いっぽう、同時代のオランダの画家であった**ホッベマ**は、なんの変哲もない近隣の風景を描き続け、貧困のうちに亡くなりました。ですが、なにげない風景の美しさを純粋に描いたという意味で、近代的な風景画家の先駆けの1人といえます。

図表でわかる！ ポイント

オランダの商人たちが発展させた「風景画」

16世紀まで

絵画といえば「宗教画」

↓

人物が主・風景は背景

1603年　カラッチ〈エジプトへの逃避〉登場

幼子イエスを抱くマリア　　ヨセフ

アンニーバレ・カラッチ　〈エジプトへの逃避〉
1603年　ドーリア・パンフィーリ宮殿　ローマ

↓

画面の９割が風景!!

17世紀

オランダ商人たちは**自宅を飾る絵**を注文

↓

オランダで**「風景画」**が発達

10 hours
Art history Studies 4
ジャンル

▶ 04

実写さながらの絵のなかに込められた暗喩「静物画」

カラヴァッジョ「静物を描くのは人物を描くのと同じ価値がある」

1世紀に噴火で突然滅んだポンペイの遺跡から発掘された壁画や床タイルには、海の生き物や果物が描かれていました。そういう意味では静物画は長い歴史を持つものですが、キリスト教が影響力を増すようになり、宗教画の需要が高まると次第に衰退してしまいました。

「静物画」を絵画のジャンルとして復活させたのは16世紀イタリアの画家**カラヴァッジョ**です。彼は**「静物を描くのは人物を描くのと同じ価値がある」**と主張しました。カラヴァッジョの静物画の代表作である**〈果物籠〉**は精緻な写実テクニックによって籠が枠からはみ出しているように描かれており、だまし絵としても優れています。

やがて、17世紀になるとオランダで、風景画を求めたのと同じ理由で、一般市民たちがニュートラルな主題として静物画を求めるようになります。そこで、花や果物、野菜など身近にあるものが数多く描かれました。また、中国製の陶磁や珍しい貝など、海運国家だったオランダらしい事物も描かれます。

ただ、静物画に描かれるモチーフには何らかの意味が込められていることが多く、その場合、たいていは**ヴァニタス**の主題を兼ねていました。ヴァニタスについては、P166で詳しく解説しますが、簡単にいえば**「生の儚さ」**のことです。もっとも、ヴァニタスは静物画だけに限らず、P66で解説したクリムトの〈女の三世代〉などもヴァニタスが主題となっています。

図表でわかる！ ポイント

写実性のなかに秘かに織り込まれたメッセージ

古くはポンペイ遺跡の壁などに描かれていた**「静物画」**

「宗教画」の発展にともない衰退

↓

カラヴァッジョ
「静物を描くのは人物を描くのと同じ価値がある」

カラヴァッジョ

(1573〜1610
イタリア生まれ)

ミケランジェロ・メリージ・ダ・カラヴァッジョ
〈果物籠〉
1597年頃　アンブロジアーナ絵画館　ミラノ

みずみずしいブドウ いきいきとした葉	VS	虫食いのリンゴ しおれかかっている葉
＝		＝
生	**VS**	**死**

10 hours Art history Studies 4

ジャンル

▶ 05

教訓や寓意が込められていることも少なくない「風俗画」

時代の文化を伝える「風俗画」の歴史的価値

「風俗画」は、ごく普通の人々による、ごく当たり前の生活を主題とする絵画のことです。**「ジャンル画」**とも呼ばれます。２章で解説したフェルメールの〈手紙を読む青衣の女〉（P53）も、風俗画の代表的な作品のひとつです。

そんな風俗画は、風景画や静物画と同じように、17 世紀オランダの市民社会の発達とともに需要が生まれました。それまでの絵画では人物をモデルに描かれた場合、**「モデル＝注文主」**でしたが、風俗画はその原則から外れています。

とはいえ、庶民が描かれていても、そこに注文主の意図が込められていることは多々あります。例えば、17 世紀スペインの画家**ムリーリョ**の**〈蚤(のみ)をとる少年〉**では貧しい少年が描かれています。この作品には、富める者から貧しい者への施しを説く、キリスト教的なメッセージが込められています。あるいは、15 世紀オランダの画家**ヒエロニムス・ボス**の**〈七つの大罪〉**（P171）には、食べ物を貪る庶民が描かれていますが、これも大食を戒めるキリスト教の教えが込められています。

そういう意味では、16 世紀イタリアの画家**カラッチ**の**〈豆食う男〉**は、とくに教訓や寓意的な意味を持たせずに庶民の食事風景を描いた作品で、純粋な風俗画の先駆け的な作品となりました。

ただ、教訓や寓意があってもなくても、庶民の生活を主題とする風俗画には、その時代の文化を伝える歴史の証言者としての価値があることも確かです。

図表でわかる！ ポイント

その時代の文化や世相を伝える「風俗画」

風俗画には教訓や寓意が込められている作品が多い

バルトロメ・エステバン・ムリーリョ
〈蚤をとる少年〉
1645〜50年頃　ルーヴル美術館　パリ

富める者から貧しい者への施しを説く

平凡な男の食事風景を描くという、当時としてはあり得ない作品

アンニーバレ・カラッチ
〈豆食う男〉
1583〜85年　コロンナ美術館　ローマ

風俗画の先駆けとなった16世紀の作品。
教訓も寓意もないが当時の庶民の生活を垣間見ることができる

10 hours
Art history Studies 4
ジャンル

▶ 06

ある人物が実在していたことを証明する「肖像画」

15世紀以降は4分の3正面の肖像画や集団肖像画も登場

19 世紀に写真が発明されるまで、**「肖像画」**はある人物が実在していたことの証明として、重要な記録の役割を担っていました。

古代ローマでは君主の騎馬像や胸像が盛んに作られましたが、市民にその顔を知らしめるため、コインにも君主の肖像が刻まれました。その頃は、庶民の肖像画も描かれていたものの、中世以降は基本的に王侯貴族のためのジャンルとなっていきます。いっぽうで、15 世紀イタリアの画家**マザッチョ**の**〈三位一体〉**（P205）のように、絵の寄進者が作品のなかに描きこまれることはありました。

再び肖像画として独立した形で庶民の姿が描かれるようになったのはルネサンス期のことです。おもな注文主は裕福な商人たちでした。

このとき、とくにイタリアで好まれたのが、古代のコインと同じ**真横からの肖像画**でした。これを、**プロフィール**といいます。15 世紀イタリアの画家**ドメニコ・ギルランダーイオ**の**〈ジョヴァンナ・トルナブオーニの肖像〉**は典型的なプロフィールの肖像画です。

16 世紀頃になると、より立体的に描ける**斜め横向き（4 分の 3 正面観）の肖像画**が登場します。その後、17 世紀のオランダで、複数の人物を描く**集団肖像画**という新しいスタイルも登場しました。

集団肖像画で有名なのが、17 世紀オランダの画家**レンブラント**が描いた**〈夜警〉**です。この作品は、1640 年に火縄銃手組合からの発注で制作されたもので、火縄銃手組合による市民自警団が出動する瞬間を描いています。

図表でわかる! ポイント

「肖像画」も時代とともに変化する

古代ローマ
君主の肖像画がコインに描かれる

中世
王侯貴族の肖像が描かれる

ルネサンス期
裕福な商人たちが描かれる
(下の2点はフィレンツェの銀行家の令嬢)

15世紀イタリアでは真横からの肖像画が好まれた

ドメニコ・ギルランダーイオ〈ジョヴァンナ・トルナブオーニの肖像〉
1489～90年頃　ティッセン＝ボルネミッサ美術館　マドリッド

横顔の肖像画が主流だった頃にダ・ヴィンチが描いた4分の3正面観の先駆け的作品

レオナルド・ダ・ヴィンチ〈ジネブラ・デ・ベンチの肖像〉
1478～80年頃　ナショナル・ギャラリー　ワシントン

17世紀になると……
集団肖像画が描かれるように

表面のニスの変色により黒ずんでしまったため、18世紀頃より〈夜警〉の通称で呼ばれる。
じつは昼間の情景である

レンブラント・ハルメンソーン・ファン・レイン　〈夜警〉
1642年　国立美術館　アムステルダム

▶ 07

長い間描く習慣がなかった「自画像」

ルネサンス期以降、画家が「重要な職業」に変わった理由

画家が、自らの姿を描いた**「自画像」**が制作されるようになったのはルネサンス期からです。それまでの中世では、自画像どころか、作品にサインを残すことすら、ほとんど許されていませんでした。

中世までの絵画の主流は、聖書に登場する人物や物語を描いた宗教画です。ただし、キリスト教は偶像崇拝を禁じています。本来ならばキリストや聖母マリアを絵にしてはいけないのです。しかし、文字の読めない人にキリスト教を布教するため、どうしても宗教画は必要でした。そこで苦しい言い訳として、宗教画は「天から降りてくる聖なるイメージを板の上にコピーしたものに過ぎない」とされました。

つまり、画家は**「天からのイメージを正確に写す仲介者に過ぎない」**とされたのです。それゆえ、自作であることを主張するサインはもとより、作品に自分の個性を出すことも認められませんでした。中世の宗教画の多くが、どこか似ているのはそのためです。

しかし、ルネサンス期になると、神の創造物としての人間自身の価値が見直されるようになります。それにともない、画家もたんなるイメージの仲介者ではなく、**「神が創った世界を作品に再構築する重要な職業」**と見なされるようになっていきました。こうして、画家が自意識を持つようになって、自画像が盛んに描かれるようになりました。自画像には画家の自負心やナルシシズムが溢れているような作品が数多くあります。**ドイツの画家デューラー**が1500年に描いた自画像などは、自分をキリストになぞらえているほどです。

図表でわかる！ ポイント

人間の価値が見直され画家の地位が上がった

ルネサンス前

画家

天からのイメージを正確に写すただの仲介者

サインすら
NG!!

ルネサンス以後

神が創った世界を作品に再構築する重要な職業

サイン・自画像
OK

自身をキリストになぞらえたデューラーの自画像

アルブレヒト・デューラー

(1471～1528　ドイツ生まれ)
北方ルネサンス最大の巨匠。
皇帝マクシミリアンの宮廷画家に抜擢されドイツを中心に活躍した

アルブレヒト・デューラー
〈1500年の自画像〉
1500年　アルテ・ピナコテーク
ミュンヘン

10 hours Art history Studies 4 ジャンル

▶ 08 タブーだった「裸体画」が許されたケースとは？

「聖書」や「神話」に登場する人物ならば許される

裸体は、理想的な美を表現するひとつのモチーフとして古代ギリシャや古代ローマの美術では重視されていました。ですが、性モラルに厳しい**キリスト教がヨーロッパで支配的になると、基本的に裸体はタブー**となります。

例外的に許されたのは、裸でも不自然ではないエピソードを持つ聖書の登場人物を描くときだけです。そのため中世では、最初の女性であるエヴァや、外典『ダニエル書補遺』のなかにあるスザンナという女性が水浴びをする場面が、数少ない**「裸体画」**として描かれました。

ルネサンス期になると、神話も絵画の主題として選ばれるようになり、ローマ神話の美と愛の女神ヴィーナスをはじめとする神話の神々や登場人物の裸体は許されるようになります。このとき裸体の表現形式としては、15世紀イタリアの画家**ボッティチェッリ**の**〈ヴィーナスの誕生〉**に代表される「恥じらいを含んだ立ち姿」と、それより少しあとのイタリア人画家**ジョルジョーネ**の**〈ドレスデンのヴィーナス〉**に代表される「官能的に横たわる姿」が定番となっていきました。

ただ、ルネサンス期以降も自由に裸体を描けたわけではなく、聖書や神話という言い訳は必要とされました。2章でも解説した19世紀フランスの画家マネの**〈オランピア〉**（P69）は、形式上はギリシャ神話の女神を描いたものでしたが、露骨に娼婦の裸体であることを表現してしまったため、強い非難を浴びることになります。

図表でわかる! ポイント

なぜタブーは解禁されたのか!?

ルネサンス前  裸が不自然ではない聖書の登場人物のみOK

ヤコポ・ティントレット 〈水浴のスザンナ〉
1550年代 美術史美術館 ウィーン

ワンポイント
美しいスザンナが水浴をしていると、権力のある老人2人が言いがかりをつけ関係を持とうとする。死を覚悟してこれを拒んだスザンナは女性信仰者の鑑とされた

ルネサンス以後  神話の神や登場人物の裸体もOK

サンドロ・ボッティチェッリ〈ヴィーナスの誕生〉
1484〜86年 ウフィツィ美術館 フィレンツェ

ジョルジョーネ〈ドレスデンのヴィーナス〉
1510年 アルテマイスター絵画館 ドレスデン

古代ギリシャから伝わる「恥じらいのポーズ」(右手で胸、左手で下腹部を隠すスタイル)で描かれた

官能的に横たわるヴィーナスを描く。ヴィーナスであることを証明する足元のクピドは補筆により失われている

column

世界の四大美術館③
エルミタージュ美術館

エルミタージュ美術館は、ロシアの古都サンクトペテルブルクにある国立美術館です。ネヴァ川のほとりにある建物自体が世界遺産に登録されています。収蔵している美術品は300万点以上で、展示室だけでも400室を数え、全室を回るとその総距離は27キロメートルにもなるとも言われています。

この美術館は、ロシアの女帝エカチェリーナ2世の私的な美術品コレクションからはじまりました。エカチェリーナ2世は収集した美術品の展示のため、冬宮殿の隣に自身専用の美術館を建造。その後も歴代のロシア皇帝が美術品を収集したために施設は増設されていき、最終的には冬宮殿、小エルミタージュ、旧エルミタージュ、新エルミタージュ、エルミタージュ劇場の5つの建物が一体となった巨大な美術館となります。当初は 一般公開されていませんでしたが、1863年以降は市民も自由に観覧できるようになりました。

おもな収蔵作品は、レオナルド・ダ・ヴィンチ〈ブノアの聖母〉、ラファエッロ〈コネスタビレの聖母〉、ベラスケスの〈昼食〉、レンブラント の〈放蕩息子の帰還〉、マティスの〈赤い部屋〉など。

ちなみに、エカチェリーナ2世の時代から美術館の地下では、ネズミ退治のために猫が飼われていました。現在も美術館には猫専用の報道官がおり、3名の職員によって世話をされている猫たちは「エルミタージュの猫」として人々に親しまれています。

第4部

西洋美術の「歴史」を学ぶ

10 hours
Art history Studies **5**
美術の歩み

▶ 01

西洋文明の源流となった2大文明

ヨーロッパ文化の両親「メソポタミア文明」「エジプト文明」

５章からは西洋美術の歩みを紹介していきます。

西洋美術の源流は、紀元前4500年頃にすでに都市文明を築いていたメソポタミア文明とエジプト文明にあります。地理的に西洋に近い２つの古代文明は、のちの**西洋文明に多大な影響**を与えました。

メソポタミア文明はティグリスとユーフラテスの二大河川の流域で栄えたものです。古くから農耕が行われていたため、土器が作られるようになり、その表面を飾る文様が発達。メソポタミア特有の美術様式が誕生します。土器には、格子模様や市松模様などの幾何学模様に加え、動物や人も描かれました。

この地に住んでいたシュメール人は**楔形文字**（くさびがたもじ）による世界最古の文字文明を生みだし、**シュメール美術**も隆盛を迎えます。

シュメール人には**大洪水の神話**があり、これはのちに聖書やギリシャ神話のなかの洪水神話の原型になりました。このように、**メソポタミア文明は、西洋世界のあらゆる文明の礎となっているのです。**

いっぽう、エジプト文明はナイル河畔で発展し、肥沃な大地の恩恵を受けた農業の発展によって人口が増加し、都市文明が形成されました。**エジプト美術の特徴は、死後の世界を信じていたことです。**そのため、**ピラミッド**が建設され、墓の壁には来世での理想の暮らしが描かれました。それらの壁画では人物や動物は極めて抽象化されて描かれていますが、人物はすべて「足と頭は横から、胴体は正面から」見た姿で描かれています。形態の把握しやすさという合理性を追求したためです。

図表でわかる！ ポイント

紀元前40世紀〜紀元前4世紀

西洋世界の礎となった「エジプト・メソポタミア文明」

文明が発達

〈『死者の書』 アニのパピルス〉
紀元前1275年頃〔エジプト第19王朝〕 テーベより出土
大英博物館　ロンドン

〈ウルのスタンダード〉
紀元前2600〜紀元前2400年頃　ウル〔イラク南部〕より出土
大英博物館　ロンドン

エジプト美術の特徴は死後の世界を信じていたこと

洪水などのシュメール神話やシュメール美術

西洋文明に多大な影響を及ぼす

▶ 02

西洋美術の基礎となった「エーゲ・ギリシャ美術」

彫刻、建築、絵画……西洋美術全般に大きな影響を及ぼす

紀元前3000年頃から紀元前2000年頃にかけて、キクラデス諸島とクレタ島、ミュケナイを中心とするペロポネソス半島やギリシャ本土で相次いで文明が発展しました。そこで始まった美術を、**「エーゲ美術」**といいます。

エーゲ美術は青銅器文明を背景に、**〈アガメムノンの黄金のマスク〉**に代表される**金属工芸品**や、極端に抽象化された**石偶**、150メートル四方のなかに小部屋が複雑に配置され、ギリシャ神話に登場する「ミノタウロスの迷宮」のモデルになったクレタ島の**〈クノッソス宮殿〉**などを作り出しました。

その後、謎の民族である「海の民」の来襲によってこの地域の文明は一時期衰退しますが、紀元前700年頃からギリシャは再び文化的隆盛を迎え、そのなかで**「ギリシャ美術」**が誕生します。そして、ギリシャ神話がユダヤ・キリスト教とともに西洋文化の二本柱になったのと同じく、ギリシャ美術はのちの西洋美術の基礎となります。

ギリシャ美術では当初、エジプト文明の影響を受けた直立不動の彫刻が作られましたが、次第に独自の発展をしていきます。紀元前5世紀頃には自然な立ち姿をとる彫刻が作られるようになりました。この時期の彫刻の立ち姿を**「コントラポスト」**といいます。

建築美術も発展し、**〈パルテノン神殿〉**などの巨大神殿建築に用いられた装飾や構成は、**「オーダー」**として西洋建築の基準となりました。

また、ギリシャ美術の絵画は、おもに陶器製の食器の表面に描かれました。

図表でわかる! ポイント

紀元前 30 世紀～紀元前 1 世紀

西洋美術の基礎は「エーゲ・ギリシャ美術」にあり

「エーゲ美術」

紀元前3000年頃から発達
キクラデス美術
クレタ美術
ミュケナイ美術の総称

謎の民族「海の民」の来襲で一時衰退

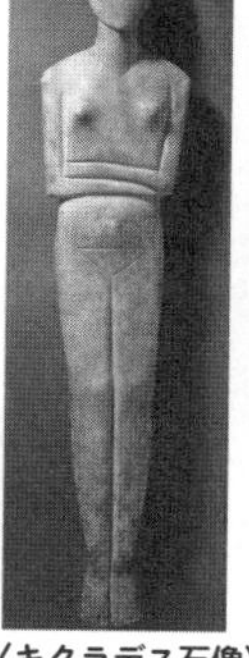

〈キクラデス石像〉
紀元前2500年頃
アシュモレアン博物館
オックスフォード

ワンポイント
高さはおよそ30㎝未満と小さい

〈アガメムノンの黄金のマスク〉
紀元前1500年頃　国立考古学博物館
アテネ

ワンポイント
ドイツの考古学者ハインリヒ・シュリーマンが19世紀のミュケナイで発掘

〈ミロのヴィーナス〉
紀元前2世紀末
ルーヴル美術館　パリ

ワンポイント
古代ギリシャ彫刻の完成形。ヘレニズム美術の傑作。キクラデス諸島で出土

「ギリシャ美術」

紀元前700年頃から再び隆盛。
ギリシャ彫刻は、東西が融合するヘレニズム期を迎え、西洋美術に多大な影響を与えた

ワンポイント
都市アテネの守護神女神アテナを祀る

〈パルテノン神殿〉
紀元前447～432年　アテネ

▶ 03

ローマ帝国の版図拡大に従って広がった「ローマ美術」

イタリア半島から広範囲に伝播していったローマ繁栄の証

紀元前10世紀頃、イタリア半島中部に**エトルリア人**が都市文明を築きました。この民族については、人種的起源や使っていた言語など､わかっていないことが多いのですが**「ネクロポリス（死の都）」**とも呼ばれる大規模な墳墓を残し、その墓室を壁画で飾っていました。壁画の主題として、初期には日常生活が描かれていましたが、次第にギリシャ神話の物語などが描かれるようになっていったため、ギリシャ美術の影響を受けたことがわかります。

このエトルリアとほぼ同時代、あるいは少し遅れて**ラテン人がローマを建設**します。ローマは紀元前1世紀頃にはエトルリア文明を完全に吸収し、ギリシャに代わって地中海文化の中心となりました。そして、**ギリシャ文明から神話とともに美術様式も取り入れ、独自に発展**させていきます。

「ローマ美術」の絵画は、**「ポンペイ遺跡」**などに残る**壁画群**が代表的なものです。時代によって４つの様式にわけることができ、第一様式は漆喰の壁にだまし絵の要領で大理石を模して描いたものが特徴です。第二様式は柱などの建築モチーフを描きこんでおり、第三様式はギリシャ神話が描きこまれ、１世紀の皇帝ネロの時代の第四様式ではいっそう豪華な装飾が施されるようになりました。また、ローマ美術では、高度な写実性を持った騎馬像や皇帝像などの彫刻が作られるようになります。

やがてローマはヨーロッパに巨大な帝国を築き、その**美術様式も広範囲に伝播**していきました。

図表でわかる! ポイント

紀元前10世紀頃～4世紀頃

ギリシャ美術を受容し独自性を確立した「ローマ美術」

紀元前10世紀頃　エトルリア人がイタリア半島中部に都市文明を築く

ワンポイント
微笑みをうかべリラックスした表情から、来世での幸福を願う**来世信仰**がうかがえる。エジプト人同様死後も生前と同じ生活が続くと考えていた

〈夫婦の棺〉
紀元前520～紀元前510年頃
ルーヴル美術館　パリ

紀元前1世紀頃　ラテン人がエトルリア文明を完全吸収

ギリシャ美術を導入し、独自の美術＝ローマ美術へと発展

〈第二様式‥ディオニュソスの秘儀〉
紀元前70～紀元前50年頃　秘儀荘　ポンペイ

ワンポイント
〈ポンペイの壁画群〉
色あせにくい**フレスコ画**であったため、18世紀の発掘により見事な美術品が火山灰のなかから姿を現した

〈プリマ・ポルタのアウグストゥス〉
14～29年頃
ヴァチカン美術館
ヴァチカン

ワンポイント
ローマ初代皇帝。裸足なのは**死後の姿**と考えられている

▶ 04

キリスト教の布教を目的に発展した「初期キリスト教美術」

偶像崇拝について論争を巻き起こしつつも、発展していく

1世紀にキリスト教がイタリア半島に伝わると、ローマ帝国内で信徒の数が増えていきました。当初、ローマ帝国はキリスト教を厳しく弾圧しましたが、4世紀には公認します。

その後、帝国は東西に分裂。西ローマ帝国はゲルマン民族によって5世紀に滅びますが、部族ごとに国家を建設したゲルマン系諸民族は、ほどなくキリスト教化しました。これにより、ヨーロッパは**中世と呼ばれるキリスト教文化の時代**となります。

キリスト教は偶像崇拝を禁じていたため、**「初期キリスト教美術」**では、イエスの姿を描く代わりに「救い主イエス」の頭文字と同じ綴(つづ)りになる「魚」の絵で代用したりするシンボルが多用されました。これらの絵は、キリスト教の地下墓所である**「カタコンベ」**などに数多く残されています。しかし、識字率の低かった当時は、キリスト教を布教するためにもっとわかりやすい絵が必要となり、次第に聖書の場面を描いた説話的な絵が中心になっていきます。

いっぽう、コンスタンティノポリス（現在のトルコの都市イスタンブール）を首都とする**東ローマ帝国**は、のちにビザンティン帝国とも呼ばれ、15世紀まで命脈を保ちました。こちらでは**「イコン」**という**板絵形式の聖像**や**モザイク壁画**が盛んに作られるようになります。

もちろん、東ローマ帝国内でも偶像崇拝についての論争は絶えず、何度も**イコノクラスム（偶像破壊運動）**が起きました。しかし、9世紀に「イコン＝聖なる存在の器」という解釈が定着したことで、ようやくイコンの制作は正当化されるようになりました。

図表でわかる！ ポイント

3世紀～15世紀半ば

「初期キリスト教・ビザンティン美術」は神の教えを伝えるためのもの

3世紀 ローマ帝国衰退

↓

4世紀 ローマ帝国・東西分裂 キリスト教公認 ⇒ 初期キリスト教美術 が発展
偶像崇拝の禁止＝ シンボル が描かれる

ワンポイント
ギリシャ語で「イエス・キリスト、主の子、救い主」の頭文字をつなげると、「魚」を意味する「イクティス」になる

〈イエスのシンボル〉
5世紀　パンと魚の奇跡の教会
ダブハ（イスラエル）

↓

5世紀 西ローマ帝国滅亡 「中世」へ

ワンポイント

仔羊は生贄であり、人類の原罪を贖（つぐな）うために自らを犠牲にしたキリストを意味している

〈善き羊飼い〉 5世紀中頃
ガッラ・プラチディア廟　ラヴェンナ　イタリア

↓

6世紀 東ローマ帝国＝ビザンティン帝国で**イコン**（板絵形式の聖像やモザイク壁画）が制作されるようになる

↓

8世紀 偶像崇拝の可否論争から**イコノクラスム**（偶像破壊運動）が起こる

↓

9世紀以降 「イコン＝聖なる存在の器」という解釈に落ち着く
⇓
イコンが正当化される

〈ウラディーミルの聖母子〉
1100年頃　トレチャコフ美術館
モスクワ

▶ 05

教会の窓も美術作品の一つにした「ゴシック様式」

全ヨーロッパに広がっていった普遍的な美術様式

ヨーロッパのゲルマン系諸民族の国家群は強い地域性を持っていました。しかし10世紀頃になると、ヨーロッパ全土で神聖ローマ皇帝を世俗の最高支配者と見なし、ローマ教皇を宗教的最高権威と見なす、聖俗二重権力による緩やかなヒエラルキーが確立されていきます。

これにより、美術に関しても全ヨーロッパに普遍的な様式が登場しました。10世紀頃に現れ、12世紀まで続いたこの様式は、のちの**「ゴシック様式」**との対比から**「ロマネスク（ローマ風の）様式」**と呼ばれます。ちなみに、12世紀から14世紀まで続いたゴシック様式は、もともとルネサンス期の建築家たちが、前時代の様式を「野蛮なと軽蔑する意味で、「ゴート人（ゲルマン系の一部族）風の」と呼んだことに起因しています。

ロマネスク様式もゴシック様式も、どちらも**キリスト教美術**がほとんどすべてであり、とくに**教会建築**が中心的な地位を占めていました。ロマネスク建築の教会は壁面全体に荷重がかかっているため、重厚で窓が小さいのが特徴です（半円筒ヴォールト）。聖堂正面扉口の上部（タンパン）や柱頭などに、キリスト教モチーフのレリーフやフレスコなどが描かれました。

ゴシック建築は尖頭アーチと交差ヴォールト構造によって柱に荷重を集めやすくなり、「広く、明るく、高い」教会を実現させます。これにともない窓も大きくなったことで、**ステンドグラス**が登場。タンパンや柱頭に加え、窓もまた新たな美術の画面になりました。

図表でわかる! ポイント

10世紀〜14世紀

中世の二大美術様式、ロマネスク・ゴシック様式

10世紀〜12世紀

「ロマネスク(ローマ風の)様式」の出現

〈サント・マドレーヌ大聖堂〉
1138年　ヴェズレー(フランス)

〈半円筒ヴォールト〉

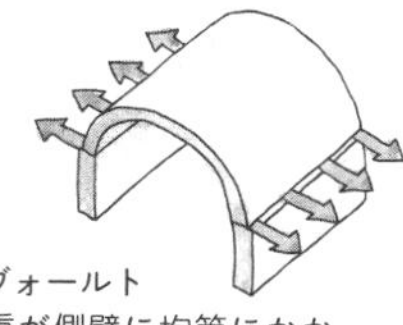

半円筒ヴォールトでは荷重が側壁に均等にかかるため**窓が小さい**

ワンポイント

ロマネスク様式の教会の特徴は半円形のヴォールト(天井)と彫刻美

12世紀半ば〜14世紀

「ゴシック(ゴート人風の)様式」の出現

〈サント・シャペル内部、聖書諸場面の連作ステンドグラス〉
13世紀半ば　サント・シャペル聖堂　パリ

〈交差ヴォールト〉

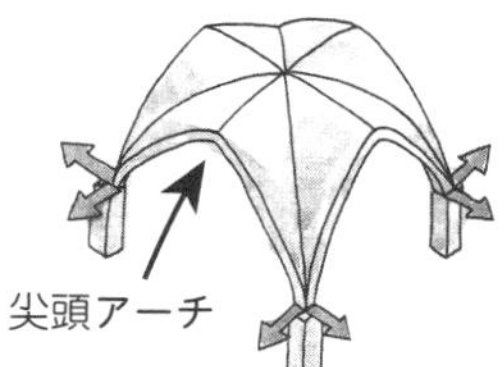

四方の柱に荷重が集中し、アーチの形状は上方からの重さに強い尖頭アーチとなっているため、**大きな窓やステンドグラスの設置が可能**となった

ワンポイント

ゴシック様式の教会の特徴は明るく、広い窓と建物の大型化と高層化。
美しい**ステンドグラス**で聖書の場面を表現

※イラスト参考:『図説ロマネスクの教会堂』 辻本敬子・ダーリング益代著　河出書房新社　2003年

▶ 06

イタリア商人がパトロンとなった「プロト・ルネサンス」

イタリアを代表する画家が、一堂に会して大聖堂を装飾

時代区分としてはゴシックに含まれますが、13～14世紀のイタリアは明らかに他の地域とは社会構造も美術様式も異なりました。この時期のイタリアでは経済が発展し、商人層の影響力が増大。彼らは職種ごとに同業者組合「ギルド」（P181）を作り、そのギルドの代表者が話し合いで都市国家を運営する「コムーネ（自治都市国家）」がイタリアに乱立するようになりました。

そのような環境のなかで芸術活動も活発になり、それがのちのルネサンス文化のもととなりました。そのため、この時代のイタリアは同時代の他の地域と区別し、**「プロト（前）・ルネサンス」**とも呼ばれています。

プロト・ルネサンス期の絵画では、**ドゥッチョ**や**マルティーニ**らによる**シエナ派**と、**チマブーエ**や**ジョット**らの**フィレンツェ派**が二大潮流となりました。そして、アッシジの**サン・フランチェスコ大聖堂**を装飾する際、彼らイタリアを代表する画家たちが一堂に会し、協力して作業をすることになります。

美術史上これほど大規模な共同作業は、それまでありませんでした。そして、彼らが聖堂に施した装飾は、お互いの技術や様式を知り、それを融合させるきっかけともなりました。

聖堂の装飾を終えたあと、画家たちは各々の地元に帰りましたが、このとき共同作業を通して完成した統一的な様式は各地に伝播し、地域に限定されていた様式が全体的な動きを持つようになりました。これが、のちのルネサンス繁栄の礎となります。

図表でわかる！ ポイント

13世紀〜14世紀

のちのルネサンスの基礎となった「プロト・ルネサンス」

13世紀〜14世紀 イタリア

経済の発展によりコムーネ（自治都市国家）が乱立

↓

経済と芸術の発展、プロト（前）・ルネサンスの到来

シエナ派　ドゥッチョ、マルティーニなど

シモーネ・マルティーニ
〈受胎告知〉
1333年頃　ウフィツィ美術館
フィレンツェ

フィレンツェ派　チマブーエ、ジョットなど

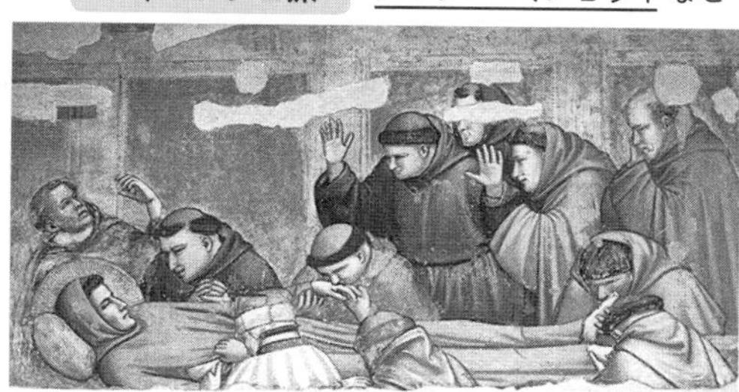

ジョット・ディ・ボンドーネ
〈聖フランチェスコの死〉
1325年頃 サンタ・クローチェ教会
バルディ家礼拝堂 フィレンツェ

ワンポイント
ルネサンスの父と呼ばれたジョットは悲しみなどの激しい人間的感情を初めて表現した

↓ 2派協力して

サン・フランチェスコ大聖堂の装飾

ワンポイント
美術史上、他に類を見ない大規模な共同作業

〈サン・フランチェスコ大聖堂内部〉
1228〜80年　アッシジ

10 hours
Art history Studies 5
美術の歩み

▶ 07

強力なパトロンがいたからこそ成立した「ルネサンス美術」

ルネサンス美術の強力な後ろ盾となった「メディチ家」

13 世紀以降、イタリアでは**同業者組合「ギルド」**の代表が都市国家の運営に深く関わるようになります。これは一種の共和政であったため、彼らは同じく共和政であった古代ギリシャや共和政ローマの成功例に学ぼうとします。そこから、**古代ギリシャ・ローマの文化・思想・芸術に改めて注目するルネサンス運動**が湧き起こります。ルネサンスとは「再生」や「復興」を意味するフランス語です。

ルネサンスの中心となったのは**フィレンツェ**でした。フィレンツェでは繊維業に加え、金融業も栄え、商人層の力が増大しました。こうして、フィレンツェのギルドは、君主、教会と並んで**「第三のパトロン」**として芸術家たちの活動を支援しました。

フィレンツェの武具馬具組合は武器製作者や武器商人たちの守護聖人である**〈聖ゲオルギウス〉**を発注し、銀行家たちは貸した金を天使に守られながら取りに行く**〈トビアスと天使〉**を主題とした絵画を盛んに発注しました。そんな当時のパトロンのなかで有名なのがフィレンツェで銀行業を営んでいた**メディチ家**です。メディチ家は、数多くの芸術家の**パトロン**を務めました。

こうして、**「ルネサンス美術」**はフィレンツェで花開き、14 世紀末から 15 世紀初頭にかけて、建築・絵画・彫刻の三分野で、それぞれ**ブルネッレスキ**、**マザッチョ**、**ドナテッロ**という革新的な芸術家たちを生みだします。彼らが活躍した時代を**「初期ルネサンス」**といい、**レオナルド・ダ・ヴィンチ**、**ミケランジェロ**、**ラファエッロ**らが活躍した 15 世紀半ば以降を**「盛期ルネサンス」**と呼びます。

図表でわかる！ ポイント

14世紀末～16世紀

数々の巨匠を輩出した美術の革命期「ルネサンス」

商人の力が増し同業者組合「**ギルド**」が作られる

↓

ギルドが発達した**フィレンツェ**がルネサンスの中心地

↓

フィレンツェのギルドは君主・教会と並ぶ**第三のパトロン**

〈初期ルネサンス　14世紀末～15世紀初頭〉

建築

（※クーポラとは教会などの、半球形に作られた天井、ドーム）

フィリッポ・ブルネッレスキ
〈サンタ・マリア・デル・フィオーレ大聖堂のクーポラ〉
1294年起工・1436年ほぼ完成
フィレンツェ

絵画

マザッチョ
〈アダムとエヴァ（楽園追放）〉
1424～27年頃
サンタ・マリア・デル・カルミネ教会
ブランカッチ礼拝堂　フィレンツェ

彫刻

ドナテッロ
〈聖ゲオルギウス〉
1416年頃
バルジェッロ国立美術館
フィレンツェ

〈盛期ルネサンス　15世紀半ば以降〉

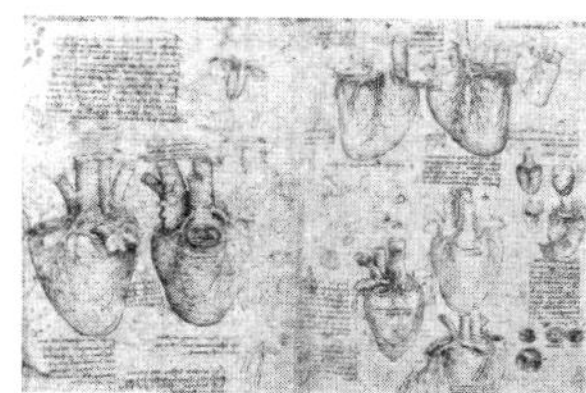

レオナルド・ダ・ヴィンチ
〈心臓と冠状動脈の解剖図〉
1512～13年頃　ウィンザー城王室図書館
ロンドン

ミケランジェロ・ブオナローティ
〈ダヴィデ〉
1501～04年　アカデミア美術館　フィレンツェ

ラファエッロ・サンツィオ
〈小椅子の聖母〉
1514年頃　ピッティ美術館
フィレンツェ

▶08

ルネサンス美術の3要素「人体把握・空間性・感情表現」

ミケランジェロやレオナルドもスケッチに訪れた礼拝堂の壁画

「初期ルネサンス」を代表する画家が、フィレンツェ出身の**マザッチョ**です。彼は同じフィレンツェ出身の建築家**ブルネッレスキ**から遠近法を、彫刻家**ドナテッロ**から人体構造を学ぶと、それを絵画に取り入れました。そして、13世紀のプロト・ルネサンス期の画家**ジョット**が重視した**「人体把握・空間性・感情表現」**の3要素を完成させます。この3要素は、ルネサンス美術を特徴づけるもっとも重要なものです。

フィレンツェの**サンタ・マリア・デル・カルミネ教会ブランカッチ礼拝堂**にマザッチョの描いた**〈楽園追放〉**のアダムとエヴァの壁画があります。同じ礼拝堂の向かい側の壁には、先輩画家の**マゾリーノ**が描いた同モチーフの壁画もありますが、この2作を比べてみると、マザッチョの革新性とレベルの高さがよくわかります。

マゾリーノのアダムとエヴァは、まるで人形のようなプロポーションで無表情な顔つきをしています。いっぽう、マザッチョの作品では、2人の顔は楽園を追放された悲しみと絶望に溢れていて、さらにそれは身体全体でも表現されています。これは、マザッチョが実際にモデルを使って、自然な脇腹や筋肉のつき方を描いたためです。また、マザッチョは背景で遠近法を用いて建物と天使を前後に描き、そのことで奥深い空間を表現。2人の足元から伸びる影も大地の確かな存在を感じさせてくれます。

このマザッチョの壁画がある礼拝堂はのちに画家を目指す者の学校になり、**ミケランジェロ**や**レオナルド**もスケッチに訪れました。

図表でわかる！ ポイント

初期ルネサンスの革命児　マザッチョ

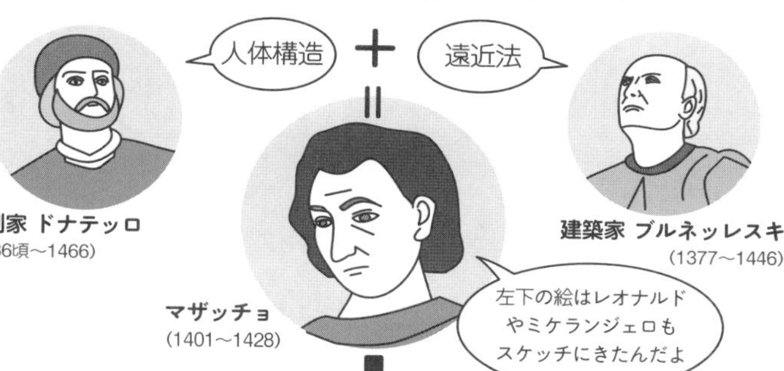

ルネサンスを特徴づける3要素

人体把握・空間性・感情表現

マザッチョ
〈アダムとエヴァ(楽園追放)〉
1424〜27年頃　サンタ・マリア・デル・カルミネ教会
ブランカッチ礼拝堂　フィレンツェ

〈人体把握〉

マザッチョは**写実的**、マゾリーノは**人形のよう**

〈空間性〉

マザッチョは**遠近法**を取り入れて**奥行き**を出し、マゾリーノは**写実性**よりも**優美さ**を表現

〈感情表現〉

マザッチョは**激しい嘆き**を表現。マゾリーノは**無表情**

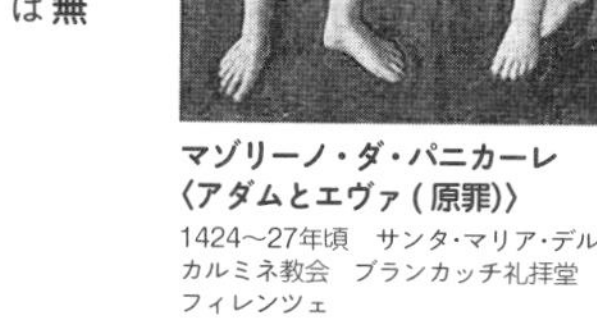

マゾリーノ・ダ・パニカーレ
〈アダムとエヴァ(原罪)〉
1424〜27年頃　サンタ・マリア・デル・カルミネ教会　ブランカッチ礼拝堂
フィレンツェ

▶ 09

芸術世界に次々と革命をもたらしたレオナルド・ダ・ヴィンチ

「見たものしか信じない」そして革新的な技法が生まれた

15世紀半ば以降の盛期ルネサンスを代表する芸術家の一人が**レオナルド・ダ・ヴィンチ**です。フィレンツェ郊外のヴィンチ村で生まれた彼は、13歳頃から工房に弟子入りし、美術全般の基礎を学びました。

「見たものしか信じない」という徹底した懐疑主義のレオナルドは、絵画表現にさまざまな革新をもたらします。例えば、**自然界に輪郭線がないことを発見**したレオナルドは、線を描かず、水に溶いた顔料を指で何度も画面に重ねていく**「スフマート」というぼかしの技法**を開発。有名な**〈モナ・リザ〉**はこの技法で描かれています。

また、レオナルドは遠近法も研究し、**〈最後の晩餐〉**ではその研究成果がいかんなく発揮されました。さらに、**遠くのものほど大気にかすんで青白く見えるという「空気遠近法」**も発見。他にも、音楽、数学、天文学、工学、医学と、レオナルドはあらゆることに興味を持ちました。

ラファエッロも盛期ルネサンスを代表する画家の1人です。ウルビーノ公国出身の彼は修業のためイタリア各地を放浪し、やがてフィレンツェに拠点を構えました。そこで、レオナルド・ダ・ヴィンチやミケランジェロの活躍を目の当たりにし、彼らの様式を熱心に学びながら、独自の絵画表現を生みだしていきます。そんなラファエッロの代表作は、ヴァチカン宮殿の「署名の間」に描いた**〈アテネの学堂〉**です。正確な遠近法に基づく左右対称の構図も美しいこの作品は、ルネサンス美術のひとつの到達点となっています。

図表でわかる！ ポイント

15世紀半ば

あらゆる分野に精通していた知の巨人「レオナルド」

13歳頃から工房に入り
「見たものしか信じなかった」レオナルド

↓

「スフマート」や「空気遠近法」など
革新的技法を確立

レオナルド・ダ・ヴィンチ
(1452〜1519
イタリア生まれ)
芸術以外に音楽、天文学、工学なども研究。晩年は医学にも熱中した万能人

ぼかしの技法「スフマート」を駆使

レオナルド・ダ・ヴィンチ〈ラ・ジョコンダ(モナ・リザ)〉
1503〜06年
ルーヴル美術館　パリ

ワンポイント
モデルは諸説あるが、加筆していくうちに幼い頃に生き別れた母親の面影を重ねていったのではとの説もある

ラファエッロ・サンツィオ〈アテネの学堂〉
1509〜10年　ヴァチカン宮殿「署名の間」

ラファエッロ・サンツィオ
(1483〜1520
イタリア生まれ)
わずか37歳でこの世を去った天才
「聖母の画家」と呼ばれる

10 hours
Art history Studies 5
美術の歩み

▶10 ネーデルラントを中心に花開いた「北方ルネサンス」

いまだ正体がわからない「フレマールの画家」

ルネサンスの波はイタリアだけに留まりませんでした。そのうち、ヨーロッパ北部のいくつかの都市に同時期に現れた画家やその活動は、総称して**「北方ルネサンス」**と呼ばれるようになります。とくに、現在のオランダとベルギーをあわせた地域であるネーデルラントでは、毛織物などで繁栄した自治都市が多く、ルネサンスの中心地であるフィレンツェ同様、豊かな商人層が自治都市を運営する疑似共和制が実現していました。

ネーデルラント絵画の創始者は、**「フレマールの画家」**と呼ばれ、現在もその正体がわからない人物です。現在では、**ロベルト・カンピン**という画家がその正体だと考えられていますが、いまだ議論は続いています。「フレマールの画家」は、聖書の主題を日常的な生活空間のなかに描く、新しい絵画を創造しました。

そして、ほぼ同時期のネーデルラントでは**ファン・エイク兄弟**も活躍し、油彩画の技法を完成させました。とくに弟のヤンは写実主義を徹底させたことでも知られています。

ネーデルラントの南部にあたるフランドル地方で16～17世紀にかけて多くの画家を出した**ブリューゲル一族**は、**「風景画」「静物画」「風俗画」**の先駆例を数多く残しています。この3ジャンルは、のちにオランダで新しい絵画のジャンルとして花開きました。

その他の地域では、**ドイツの画家デューラー**がイタリアから学ぶだけでなく、イタリアに影響を与えるほどの存在感を示しました。

図表でわかる！ ポイント

15世紀〜16世紀

画期的な技法「油彩画」を生んだ北方ルネサンス

ネーデルラント（オランダ＋ベルギー）

↓

商人たちによる疑似共和制

↓

豊かな経済を背景に「北方ルネサンス」誕生!!

ファン・エイク兄弟（P50）や
ドイツの**デューラー**（P109）も活躍!!

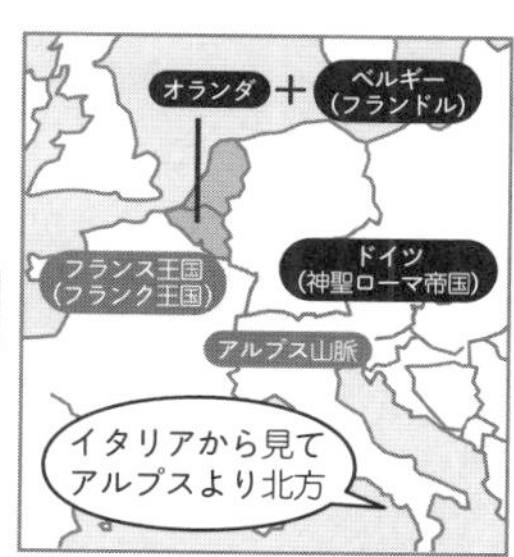

**フレマールの画家の正体
＝ロベルト・カンピン？**

日常空間に描かれた受胎告知

**ロベルト・カンピン〈受胎告知
（メロードの祭壇画・中央パネル）〉**
1427〜32年頃　メトロポリタン美術館
クロイスターズ分館　ニューヨーク

オランダ絵画の先駆者**「ブリューゲル一族」**

ピーテル・ブリューゲル（父）
〈イカロスの墜落のある風景〉
1556〜58年頃　ベルギー王立美術館
ブリュッセル

ボク（イカロス）主役の
はずなんだけど……

ピーテル・ブリューゲル（父）**〈バベルの塔〉**
1563年　美術史美術館　ウィーン

- ピーテル・ブリューゲル（父）
  - ピーテル・ブリューゲル（子）
  - ヤン・ブリューゲル（父）
    - ヤン・ブリューゲル（子）
      - アブラハム・ブリューゲル

私の子孫
も画家な
んだよ

10 hours **5** Art history Studies

美術の歩み

▶ 11

ミケランジェロが創始した先駆的様式「マニエリスム美術」

正確さよりも優美さを重視する「マニエリスム」

盛期ルネサンスの三大芸術家は、**レオナルド・ダ・ヴィンチ**と**ラファエッロ**と、もう1人は**ミケランジェロ**です。彼は10代で**メディチ家**に才能を見出され、その支援を受けるようになります。

やがてミケランジェロは各地を転々としながら、絵画、彫刻、建築と幅広い分野で活躍するようになりました。24歳のときにローマで彫刻**〈ピエタ〉**を作り、これにより名声が高まります。

そんな彼が生涯で唯一描いた板絵の**〈トンド・ドーニ〉**では、マリアが激しく身をよじって肩越しに幼いイエスへと手を伸ばす姿が描かれています。このポーズは、ミケランジェロが創始した**「セルペンティナータ（螺旋状の）」**と呼ばれる形状の最初期の例で、のちの**「マニエリスム」**の起点となりました。そして、彼が自ら創始したマニエリスム様式は、システィーナ礼拝堂の祭壇に描かれた**〈最後の審判〉**で完成します。

「マニエリスム」は、洗練や技巧を意味する「マニエラ」というイタリア語に由来します。ミケランジェロはルネサンス期の芸術家ですが、彼が創始したマニエリスムはルネサンス美術で重視された正確な人体把握や空間表現の合理性から逸脱し、ひたすら優美さを求めたものでした。そして、16世紀に宗教改革の嵐がヨーロッパ全土を覆うと次第にルネサンスは衰退し、マニエリスムが美術の主流となっていきます。首や身体が不自然なまでに引き延ばされて描かれている**パルミジャニーノ**の**〈長い首の聖母〉**は、解剖学を意識したルネサンス絵画とは異なる、マニエリスムの代表作とされています。

図表でわかる！ ポイント

16世紀半ば〜17世紀前半

神の如き才能を持った美の巨人「ミケランジェロ」

ミケランジェロ・ブオナローティ
（1475〜1564　イタリア生まれ）
貴族階級出身。88歳で死ぬまでノミをふるい続けた。
彫刻や絵画の他に、詩や建築にも才能を発揮

70歳を過ぎてからのヴァチカンのサン・ピエトロ大聖堂建築はさすがに大変だったよ

「マニエリスム」を予告する作品

ワンポイント
聖母の**ひねり**に注目

ミケランジェロ・ブオナローティ
〈トンド・ドーニ（ドーニ家の聖家族）〉
1506〜08年
ウフィツィ美術館　フィレンツェ

ミケランジェロ・ブオナローティ
〈最後の審判〉
1536〜41年　システィーナ礼拝堂
ヴァチカン

マニエラ＝洗練・技巧
（イタリア語）

ルネサンス絵画とは異なり
リアリズムよりも
優美さや洗練を重視

マニエリスム

パルミジャニーノ　〈長い首の聖母〉
1534〜39年頃　ウフィツィ美術館
フィレンツェ

16世紀

初期
マニエリスム
最高傑作

ワンポイント
聖母の首や幼子イエスの身体が不自然に引き延ばされている

10 hours
Art history Studies **5**
美術の歩み

▶ 12

鑑賞者を感情移入させる技法を用いる「バロック」

カトリックの総本山を空間プロデュースしたベルニーニ

17 世紀の美術を**「バロック」**といいます。この語はもともと**「ゆがんだ真珠」**という意味です。ただ、この時代の美術は多様な展開を見せ、ひとまとめに語ることは困難です。それでも一ついえることは、**バロックは 16 世紀の宗教改革の影響を大きく受けている**ということです。

宗教改革によって、キリスト教はカトリックとプロテスタントに分裂してしまいました。プロテスタントがキリスト教絵画を「偶像崇拝」だと強く批判したのに対し、カトリックはそれに対抗するため、宗教的美術作品をいっそう大々的に制作するようになります。

このとき意識されたのが、**臨場感やドラマティックな表現、そして見る者を引き込む劇場性です。**カトリックは、そうやって美術を通して人々の感情に訴え、信者の拡大につなげようとしたのです。

そんな劇場型バロックを代表するのが、イタリアの芸術家**ベルニーニ**です。ローマのサンタ・マリア・デッラ・ヴィットーリア聖堂に彼の**〈聖テレサの法悦〉**という彫刻があります。この作品では聖テレサと天使を中央に据え、その両壁面に観客席から身を乗り出して奇跡を見守る人々が配されています。これにより、彫刻の鑑賞者もまた舞台を正面から見ているような錯覚に陥るのです。これこそ、感情移入させるというカトリックの意図を具現化したものでした。

他にもベルニーニは、ローマの広場、噴水、橋、教会、宮殿などを建築し、カトリックの総本山であるこの都市をひとつの劇場のようにしました。いわば、空間をプロデュースしたのです。

図表でわかる! ポイント

17世紀

見る者を引き込む臨場感を表現した「バロック」

人々が感情移入するドラマティックで壮大な美

曲線や楕円形を多用した「バロック」へ

「感情移入させる」というカトリックの意図を具現化したベルニーニ

ジャン・ロレンツォ・ベルニーニ
(1598~1680
イタリア生まれ)
バロック様式の発展に
決定的な役割を果たした
彫刻家・建築家

奇跡を見守る人々

ジャン・ロレンツォ・ベルニーニ
〈聖テレサの法悦〉
1645~52年　サンタ・マリア・デッラ・ヴィットーリア聖堂コルナーロ礼拝堂　ローマ

天使に黄金の槍で貫かれたという聖テレサの神秘体験を可視化

▶13 17世紀オランダでなぜ美術史に残る変革が起きたのか？

新たなジャンル・技法が確立された「オランダ芸術」

ここまで何度も触れてきたように、17世紀のオランダは美術史において様々な変革が起きた場所です。16世紀の**宗教改革**により、ネーデルラントの南部（現ベルギー）はカトリックを信仰し、スペインの庇護下に入る選択をしました。いっぽう、北部（現オランダ）はプロテスタントを信仰し、独立を宣言。カトリック諸国との対立姿勢を鮮明にします。

今日のオランダにあたる同地域が小国でありながら、そのような強気の選択をできたのは、**大航海時代**の貿易によってヨーロッパ随一の**商業大国**となっていたためです。そして、商業立国のオランダは、ヨーロッパ史上初の本格的な市民社会となります。これにともない、文化の担い手も王侯貴族や教会から市民へとバトンタッチしました。

芸術も市民のためのものになり、美術作品が一般家庭に広く普及していきます。ただ、彼ら一人ひとりは王侯貴族や教会ほど富を持っていないため、より**安価で扱いやすい、油彩＋カンヴァスの小型の絵画が美術の主流**となっていきました。また画題も、一般家庭の食堂や居間に飾るのに相応しい、**風景画、静物画、風俗画が独立した絵画のジャンルとして成立**していきます。さらに肖像画に関して、たった1人の君主ではなく、**市民のグループを描く集団肖像画が誕生**したのも、この時期のオランダでした。

このような時代状況を背景として、17世紀のオランダでは**レンブラント**や**フェルメール**、**ハルス**、**デ・ホーホ**、**ロイスダール**といった個性的な画家たちが活躍するようになります。

図表でわかる！ ポイント

17世紀

市民のための「オランダ芸術」

1581 年カトリックのスペインから独立したプロテスタントの国オランダは貿易ルートを世界中に広げ商業立国として大成功する

ワンポイント

商人たちのグループが力を持ったオランダでは、ギルドの活動拠点に**集団肖像画**が飾られていた

レンブラント

モデル一人ひとりからお金をもらっているから、似ていないと文句をいわれるんだ……

(1606〜1669
オランダ生まれ)

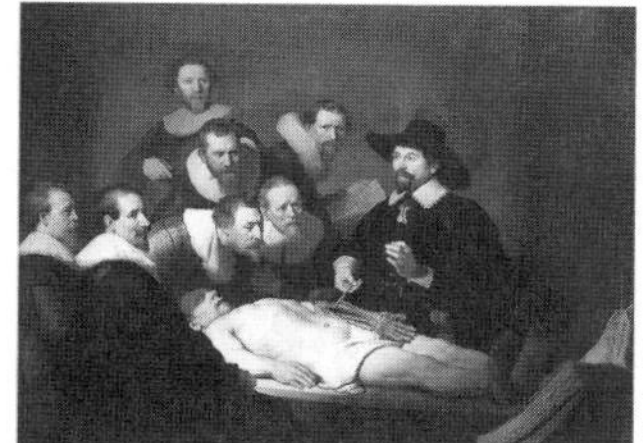

レンブラント・ハルメンソーン・ファン・レイン
〈テュルプ博士の解剖学講義〉
1632年　マウリッツハイス美術館　ハーグ(オランダ)

ロイスダール

低地のオランダは空と地平線や水平線が美しいんだよ

(1628頃〜1682
オランダ生まれ)

フェルメール

光の表現が得意なんだ

(1632〜1675
オランダ生まれ)

ヤコブ・ファン・ロイスダール
〈ワイク・バイ・ドゥールステーデの風車〉
1668〜70年頃　国立美術館　アムステルダム

ヨハネス・フェルメール
〈真珠の耳飾りの少女〉
1665年頃　マウリッツハイス美術館　ハーグ(オランダ)

▶14
優美なフランス貴族文化の象徴「ロココ」

繊細でかわいらしいものが好まれた「貴族のための芸術」

18世紀に入り、太陽王ルイ14世のもとで絶対王政国家を完成させたフランスは国力の充実にともない、積極的に芸術の庇護を行うようになりました。1648年に**王立美術アカデミー**が設立され、この組織が絵画理論による教育やサロン（官展）を定期的に開催することで芸術を先導し、また多くの芸術家も自然とフランスに集まってくるようになります。そこで花開いたのが**「ロココ」**という様式です。

ロココの語源は「ロカイユ」と呼ばれる装飾で、これは人工の洞窟を飾るための貝殻や小石のことです。この名前の由来通り、**ロココは曲線を多用した、やや装飾過剰な表現を特徴としています。**そのような貴族趣味が、国王の後ろ盾で運営されたアカデミーと貴族たちが集う社交の場であるサロンの影響力が強いこの時代にもてはやされたのです。

貴族のための芸術であるロココでは、繊細でかわいらしいものが好まれました。「雅な神話画」と呼ばれる**ブーシェ**の作品群を筆頭に、人物の表現には愛くるしさが溢れるようになります。また、**ヴァトー**の「雅宴画（フェート・ギャラント）」**〈シテール島の巡礼〉**や**フラゴナール**の**〈ぶらんこ〉**（P57）など、貴族の享楽的な遊びを主題とした絵画も数多く制作されるようになりました。

その反面、当時のヨーロッパでは貴族に対する不満も高まっており、18世紀末にはフランス革命が起きます。そのような時流のなかで、**シャルダン**は静謐な市民生活を描き、スペインの宮廷画家だった**ゴヤ**は、のちに市民階級の怒りを描くようになりました。

図表でわかる! ポイント

18世紀

華やかで軽快な芸術「ロココ」

フランスの太陽王ルイ14世
1648年「王立美術アカデミー」を設立

↓

サロン(官展)が定期的に開催される ➡ 芸術家がフランスに来る ➡ **「ロココ」様式が誕生**

ロココ ＝ 曲線を多用したやや装飾過剰な表現

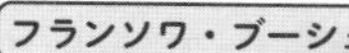

フランソワ・ブーシェ

神話ならヌードOK

(1703〜70　フランス生まれ)

フランソワ・ブーシェ 〈水浴のディアナ〉
1742年　ルーヴル美術館　パリ

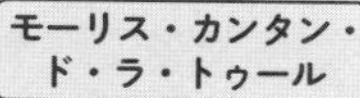

モーリス・カンタン・ド・ラ・トゥール

パステルで描いたんだ

(1704〜88 フランス生まれ)

アントワーヌ・ヴァトー

愛の女神ヴィーナスに良縁を願う巡礼は貴族の間で流行したんだよ

(1684〜1721　フランス生まれ)

モーリス・カンタン・ド・ラ・トゥール 〈ポンパドゥール夫人〉
1748〜55年　ルーヴル美術館　パリ

アントワーヌ・ヴァトー 〈シテール島の巡礼〉
1717年　ルーヴル美術館　パリ

10 hours
Art history Studies 5
美術の歩み

▶ 15

遺跡の発掘をきっかけに巻き起こった「新古典主義」

いわゆる復古芸術だが、政治宣伝に利用された向きも

1789年に始まったフランス革命により、優美な貴族文化であったロココは衰退していきます。代わって、美術の新たな様式として登場したのが**「新古典主義」**です。きっかけは、1738年に始まったヘルクラネウムやポンペイなど、**古代ローマ遺跡の発掘**でした。これにより、ヨーロッパの人々の関心は古代に向かいます。

ドイツの考古学者**ヴィンケルマン**は古代美術を称賛する理論書**『ギリシャ芸術模倣論』**を刊行して反響を呼び、絵画ではイタリアの画家**ピラネージ**の古代都市を主題とした版画作品が人気となりました。こうしてヨーロッパ全体で**ルネサンス以来の古代ブーム**が起こり、アカデミーでは**古代ギリシャの芸術**と、それを復活させた**ルネサンスの古典主義**、とくに**ラファエッロ**（P130）の様式が理想とされるようになっていきます。

新古典主義は、古典に倣（なら）った整然とした構図と、高度な素描技術に裏打ちされた**徹底的な写実主義**が特徴です。そんな新古典主義は、フランスの画家**ダヴィッド**が先導し、その弟子である**アングル**が完成させました。ダヴィッドの**〈ホラティウス兄弟の誓い〉**や、アングルの**〈ホメロス礼賛〉**などが新古典主義の代表的作品とされています。

はじめ、新古典主義は革命への気運をうけて、古代の共和政を理想に掲げていました。しかし、ナポレオンの帝政開始に伴い、ダヴィッドは傾向を一変させてナポレオンのプロパガンダ（宣伝）のための作品を描くようになりました。

図表でわかる！ ポイント

18世紀後半〜19世紀前半

古代遺跡発掘をきっかけに確立された「新古典主義」

フランス革命勃発による共和政の理想視

古代ローマ遺跡の発掘による古代ブームの到来

「新古典主義」
古典に倣った構図を徹底した写実主義

当時の人々を熱狂させた「ポンペイ遺跡」の発見

〈ポンペイ遺跡〉

建物だけでなく人の遺体も発見され壁画も鮮明な状態のまま発掘された。

ジャン＝オーギュスト・ドミニク・アングル

(1780〜1867 フランス生まれ)

ジャック＝ルイ・ダヴィッド

(1748〜1825　フランス生まれ)

ジャック＝ルイ・ダヴィッド
〈ホラティウス兄弟の誓い〉　1784年　ルーヴル美術館　パリ

ジャン＝オーギュスト・ドミニク・アングル
〈玉座のナポレオン〉
1806年　オテル・デ・ザンヴァリッド内軍事博物館　パリ

10 hours Art history Studies 5
美術の歩み

▶16

神秘性・ドラマ性を芸術に反映させた「ロマン主義」

ルネサンス以前の中世文化を再評価する動きによって誕生

新古典主義に少し遅れる形で登場したのが、**「ロマン主義」**です。ロマンとは、中世の騎士道物語（ロマンス）が語源で、ルネサンス以前の中世文化を再評価する動きから始まりました。この背景には、18世紀後半の産業革命以降、急速に近代化していくヨーロッパ社会に対する人々の不安感がありました。また、規範意識の強い新古典主義への反発もありました。

そのため、ロマン主義ではルネサンス以降は軽視されがちだった個人の感情に重きを置くようになります。新古典主義が素描や写実を重視したのに対し、**ロマン主義では「個人の感性」が重視されたのです。**

主題にはドラマ性が求められ、歴史画や神話画に留まらず、生々しい歴史的事件も取り上げられるようになりました。2章で紹介したフランスの画家**ジェリコー**の**〈メデューズ号の筏〉**（P59）などがその代表例です。さらに、ロマン主義では明晰さよりも神秘性に重きが置かれたため、技法面では**鮮やかな色彩や大胆な筆致がより重視される傾向にありました。**

そんなロマン主義は、ジェリコーが先陣を切り、弟子の**ドラクロワ**が主導しました。ドラクロワは、同時代の新古典主義の画家アングルとはライバル関係にありました。また、イギリスでは**フュースリ**や**ブレイク**がロマン主義の芸術家として活躍します。ただ、ロマン主義は極めて多様な展開をしたため、ひとまとめに語るのが非常に難しい面があります。

図表でわかる！ ポイント

18 世紀後半〜 19 世紀前半

劇的な画面構成と鮮やかな色彩表現の「ロマン主義」

急速な近代化への不安 ／ 新古典主義への反発

文学を先頭に「ロマン主義」へ発展
「個人の感性」を重視、鮮やかな色彩と大胆な筆致

ウジェーヌ・ドラクロワ
(1798〜1863 フランス生まれ)

ワンポイント
旗を頂点としたピラミッドの構図はジェリコーの〈メデューズ号の筏〉と共通している

ウジューヌ・ドラクロワ〈7 月 28 日―民衆を導く〈自由の女神〉
1830年　ルーヴル美術館　パリ

ヨハン・ハインリヒ・フュースリ
(1741〜1825　スイス生まれ)

ヨハン・ハインリヒ・フュースリ
〈夢魔〉 1781年　デトロイト美術館　アメリカ

ウィリアム・ブレイク
(1757〜1827 イギリス生まれ)

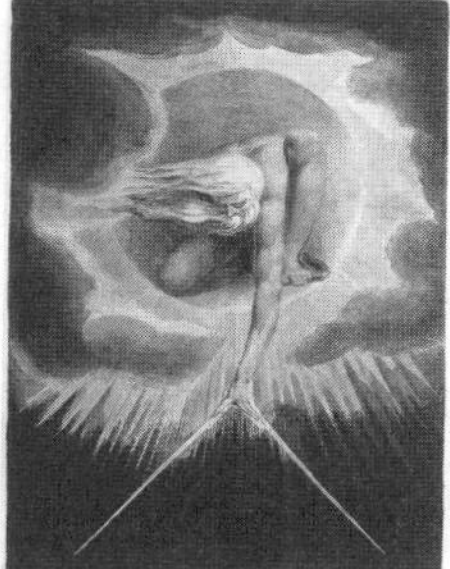

ウィリアム・ブレイク〈日の老いたる者(天地創造)〉
1794年　大英博物館　ロンドン

▶ 17
リアリズムを徹底的に追求した近代の先駆者たち

クールベの〈水浴〉を見たナポレオン3世は「醜い」と酷評

産業革命とフランス革命を経た18世紀後半から19世紀中頃、ヨーロッパの美術は大きな転換点を迎えます。ルネサンス以来続いたラファエッロを頂点とする古典至上主義や、**アカデミスムの権威の衰退**が始まったのです。

その先駆者の一人が、フランスの画家**クールベ**です。新古典主義の画家たちは物の形態を正しく把握するのを得意としていました。ですが、彼らは現実世界に存在するものをそのまま描くのではなく、アカデミスムの定義する「美しさ」に則った理想の世界を描いていました。これに対してクールベは、アカデミスムの価値観に反旗を翻し、対象の誇張や美化をせず、見たままに再現する**「写実主義」**を主張します。クールベの描いた**〈水浴の女〉**の裸体には脂肪がつき、皮膚には皺が入っています。当時の理想美からはほど遠い描写でした。サロンでは不評で、この絵を見たナポレオン3世は「醜い」と酷評しました。しかし、それこそが画家の狙いだったのです。

その他、19世紀のフランスに登場した**「外光派」**は、アトリエにこもって理想化された風景画を描くのではなく、日光や外気によって変化するありのままの自然を描こうとしました。なかでも、**コロー**、**ミレー**、**ルソー**らは、自然豊かな環境を求めて、パリ近郊のフォンテーヌブローの森にあるバルビゾン村に集まるようになりました。そのため、彼らは**「バルビゾン派」**とも呼ばれています。

このクールベやバルビゾン派の活動が、のちの印象派の台頭につながっていきます。

図表でわかる！ ポイント

19世紀

のちの「印象派」につながる先駆者たち

古典至上主義 ― 衰退 ― アカデミスムの権威

ラファエロ

アカデミスムのお手本はボクだよ

従来の美のルールに反旗を翻した

クールベの挑戦

アカデミスムの美のルールなんて知ったことか!!

ギュスターヴ・クールベ

(1819〜77　フランス生まれ)

ナポレオン3世が酷評

ワンポイント

脂肪や皺が生々しい。誇張や美化をせず、**写実主義**を実現

ギュスターヴ・クールベ〈水浴の女〉

1853年　ファーブル美術館 モンペリエ（フランス）

ボクたちバルビゾン派は大気や日光を色彩でとらえて、ありきたりな光景を魅力的に描こうとしたんだ

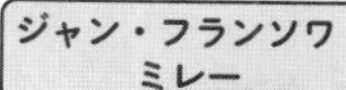

ジャン・フランソワ・ミレー

(1814〜75 フランス生まれ)

ジャン＝バティスト・カミーユ・コロー〈真珠の女〉

1868〜70年頃　ルーヴル美術館　パリ

ジャン＝バティスト・カミーユ・コロー

(1796〜1875 フランス生まれ)

ジャン・フランソワ・ミレー〈晩鐘〉

1857〜59年　オルセー美術館　パリ

▶ 18

ディティールを気にせず対象を大胆に描いた「印象派」

モネの〈印象、日の出〉が酷評され「印象派」という呼び名に

日本でもっとも人気の高い**「印象派」**は、19世紀後半のフランスで誕生しました。1874年に、当時のアカデミスムやサロンであまり評価されていなかった画家たちが集まり、「画家、彫刻家、版画家などによる共同出資会社の第1回展」という展覧会を開きます、そこに出展されていた**モネの〈印象、日の出〉が批評家に酷評**され、そこから印象派という呼び方が生まれました。

のちに第1回印象派展とも呼ばれたこの展覧会に出展していた、**モネ**、**ルノワール**、**シスレー**、**ピサロ**、**ドガ**、**マネ**などが、印象派の代表的な画家たちです。なかでもモネは、「印象派とはモネによる実験」といっても過言ではないほど、この派の中心でした。

モネが描こうとしたのは、一瞬のイメージが残す印象です。例えば**〈ひなげし〉**という作品では、ふりそそぐ太陽の光のなかで、鮮やかな色をした花びらの群れが目に焼きつく「印象」を描こうとしています。そのためには、細部を写実的に描写することは、知覚のメカニズム的にかえって正しくありません。対象のディティールを描写するのではなく、**省略や簡素化を大胆に用いながら、「印象」を忠実に再現するのが印象派なのです。**

モネはそのための理論も打ち立てました。自然界に存在しない「絶対黒」の使用を止め、また明度の下がる混色をなるべく避け、カンヴァスに原色か原色に近い色を隣に置くことで、遠くから見ると理想通りの色として知覚できるような**「筆触分割」**という技法を編み出したのです。これは**「虹のパレット」**とも呼ばれています。

図表でわかる！ ポイント

19世紀後半

見た"印象"そのままを描いた「印象派」

クロード・モネ

(1840〜1926
フランス生まれ)

日本の美術も大好きなんだ(ジャポニズム P150)

酷評される

➡「印象派」の由来に

クロード・モネ 〈印象、日の出〉
1872年 マルモッタン美術館 パリ

クロード・モネ 〈ひなげし〉
1873年 オルセー美術館 パリ

「筆触分割(色彩分割)」

自然界に存在する色は**「赤・青・黄」**
例えば緑を表現するには、青と黄を細かいタッチで並置することで錯覚を起こさせる

ピエール・オーギュスト・ルノワール

(1841〜1919
フランス生まれ)

60歳くらいまで認められず貧しかったんだよ

オーギュスト・ルノワール
〈ムーラン・ド・ラ・ギャレットの舞踏会〉
1876年 オルセー美術館 パリ

10 hours
Art history Studies **5**

美術の歩み

▶ 19

ヨーロッパ全土を席巻した日本美術の衝撃「ジャポニスム」

名だたる画家に多大な影響を及ぼした日本文化

鎖国状態だった日本が19世紀半ばに開国すると、日本文化が大量に海外へと伝わりました。その結果、**ヨーロッパ全土で日本ブーム**が巻き起こります。ヨーロッパの伝統とはまったく違う形で独自に発展してきた日本美術に、当時の画家たちは大きな衝撃を受けました。そして、**印象派**から**後期印象派**、**アール・ヌーヴォー**に至るまで、数十年にわたりその影響は色濃く残されていきます。

日本美術の影響の初期段階では、日本の着物や工芸品、浮世絵などを珍しい小道具として作品に登場させることが流行りました。着物を着て、扇子を持った白人女性を描いた**モネ**の**〈ラ・ジャポネーズ〉**などが、その代表的な作品です。この絵は、小道具は日本的ですが、**技法自体は従来の西洋画**の枠組みのなかで描かれています。この段階を**「ジャポネズリー」**といいます。

しかし、20世紀初頭に描かれた**クリムト**の**〈アデーレ・ブロッホ・バウアーの肖像Ⅰ〉**では、日本の**金地障壁画**に倣(なら)って背景を金地で処理し、西洋画伝統の遠近法が無視されています。また女性が着ているドレスの文様は、日本の家紋や工芸品にある幾何学文様の応用です。つまり、日本というモチーフを小道具として使うのではなく、**日本美術の造形原理そのものを取り入れている**のです。**クリムト**や**ゴッホ**らによって始められたこの段階を**「ジャポニスム」**といいます。

ジャポニスムでは、**陰影をつけない平面的な画面処理やモチーフの大胆な配置**、**鮮やかな色彩**など、あらゆる日本美術の要素が探究され、積極的に西洋美術に取り入れられていきました。

図表でわかる！ ポイント

19世紀後半～20世紀初頭

モネもクリムトもゴッホも魅了した「日本美術」

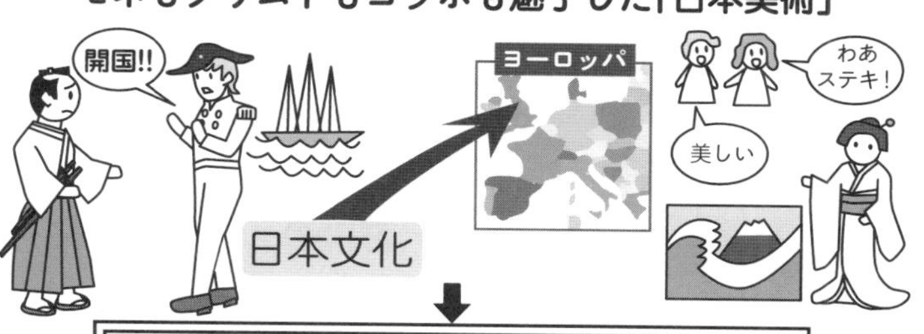

印象派、後期印象派、アール・ヌーヴォーに影響
「ジャポニスム」

クロード・モネ 〈ラ・ジャポネーズ〉
1876年 ボストン美術館 アメリカ

**グスタフ・クリムト
〈アデーレ・ブロッホ・バウアーの肖像Ⅰ〉**
1907年 ノイエ・ギャラリー アメリカ

グスタフ・クリムト
(1862～1918
オーストリア生まれ)

**尾形光琳
〈紅白梅図屏風〉**〔国宝〕
18世紀 MOA美術館
静岡県

**フィンセント・ファン・ゴッホ
〈日本趣味・雨の大橋（大はしあたけの夕立）〉**
1887年 ファン・ゴッホ美術館
アムステルダム

**歌川広重
〈名所江戸百景
大はしあたけの夕立〉**
1857年 国立国会図書館
東京都

フィンセント・ファン・ゴッホ

(1853～1890
オランダ生まれ)

▶ 20

「印象派」をさらに発展させた「後期印象派」と「新印象派」

ゴーガン、ゴッホ、セザンヌ……美術史のターニングポイント

1880年頃から1890年代にかけての、短い期間ですが、印象派を発展させようと模索した画家たちの活動が活発になります。その代表的な画家たちは、**ゴーガン**、**ゴッホ**、**セザンヌ**などで、彼らは**「後期印象派」**と呼ばれています。後期印象派の活動は、その後の美術の発展をうながす、非常に重要なものとなりました。

ゴーガンは複数の色で構成された対象物から、特定の色だけを抽出して画面に再構成する手法を編み出し、その後の**「フォーヴィスム」**（P156）の先駆けとなりました。また、平坦な色面を暗い色の輪郭線で囲む表現は、**「ナビ派」**へと引き継がれていきます。

そのゴーガンの友人で、のちに仲違いしたゴッホは、原色そのままの荒々しいタッチで塗り重ねる手法で、短い生涯のなかで膨大な数の作品を残しました。ゴッホの生き方と猛々しい筆致は、後世の画家たちに多大な影響を及ぼしています。またセザンヌは、対象を単純な形態に還元する手法で、**「キュビスム」**や**「未来派」**(P156)、**「抽象主義」**などの先駆者となりました。

いっぽう、印象派の技法をそのまま受け継ぎ、さらに発展させようとした画家たちもいます。**スーラ**や**シニャック**といった画家たちは、明度を下げないよう混色を避ける印象派の理論を追求し、画面のすべてを小さな絵具の点のみで描く点描の手法を生みだしました。そのため彼らは**「点描派」**や**「新印象派」**と呼ばれています。

１つの色を点の集まりと見なす科学的な思考は、20世紀の絵画理論でも重要視されるようになっていきます。

図表でわかる！ ポイント

19世紀後半〜20世紀初頭

印象派が生んだ「後期印象派」「新印象派」

- 印象派
  - 印象派から新たな芸術を模索 → **後期印象派** ゴーガン、ゴッホ、セザンヌなど
    - フォーヴィスム
    - ナビ派
    - キュビスム
    - 未来派
    - 抽象主義
  - 印象派をさらに追求 → **新印象派（点描派）** スーラ、シニャックなど

ポール・ゴーガン
(1848〜1903
フランス生まれ)

ゴッホとも仲良かったんだけどね……

ポール・ゴーガン〈イア・オラナ・マリア（マリア礼賛）〉
1891年　メトロポリタン美術館　ニューヨーク

ポール・セザンヌ
(1839〜1906
フランス生まれ)

現代美術の父と呼ばれているけど、なかなか評価されなかったんだ

ポール・セザンヌ〈静物〉 1893年　個人蔵

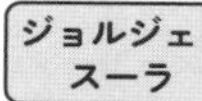

ジョルジェ・スーラ
(1859〜91
フランス生まれ)

点描は科学と計算が必要なんだ

ポール・シニャック
(1863〜1935
フランス生まれ)

スーラの死後は点を大きくしてみたんだよ

ジョルジュ・スーラ〈グランド・ジャット島の日曜日の午後〉
1884〜86年　アート・インスティテュート　シカゴ

ポール・シニャック〈ヴェネツィア、大運河の入口〉
1905年　トレド美術館　スペイン

▶ 21

目に見えないものや神秘的なものを視覚化した「世紀末美術」

機械化による大量生産が始まったことへの反動から誕生

19世紀末は、アカデミー主導の芸術に対する反発から、さまざまな地域と異なる分野で、ある程度似た傾向を持つ芸術活動が盛んになったユニークな時代です。それらはまとめて、**「世紀末美術」**と呼ばれています。

世紀末美術の背景には、産業革命以降、機械による大量生産が始まったことに対する潜在的な抵抗感がありました。そして、その反動として、人間の内なる感覚や神秘的な観念などが重視されるようになり、それを視覚化しようとする**「象徴主義」**が世紀末美術の中核となります。

象徴主義を代表する画家が、フランスの**モロー**や**ルドン**です。彼らはのちの**「抽象絵画」**や**「シュルレアリスム」**の先駆けとなる作品を制作しました。また、イギリスでは**ミレイ**や**ロセッティ**が**「ラファエル前派」**の活動を主導します。これは、ラファエッロを美の規範とするアカデミスムの姿勢を批判し、それ以前である**中世への回帰**を主張しました。フランスでも、**中世的な植物文様**をモチーフに用いる**「アール・ヌーヴォー」**が流行します。

時を同じくして、ウィーンでは**クリムト**を筆頭とする**「ウィーン分離派（ゼセッション）」**が創設され、ドイツでは**シュトゥック**が**「ミュンヘン分離派」**を結成しました。どちらも、**「唯美主義」**と呼ばれる官能的で退廃的、ときに幻想的な表現が特徴です。

これらの活動は美術に留まらず、ファションや商業広告、音楽、演劇、文芸などとも連動し、世界的な広がりを持ちました。

図表でわかる！ ポイント

19 世紀末～ 20 世紀初頭

近代化への反発から同時多発的に起こった「世紀末美術」

近代化への反発と中世への回帰

↓

世紀末美術の誕生

象徴主義 ＝人間の内なる感覚や神秘性を視覚化

ラファエル前派 ＝ラファエッロを批判しそれ以前へ回帰

アール・ヌーヴォー ＝中世的な植物などの文様をモチーフに用いる

ウィーン分離派・ミュンヘン分離派 ＝官能的・退廃的・幻想的表現が特徴

ギュスターヴ・モロー

(1826～1898
フランス生まれ)

ギュスターヴ・モロー〈出現〉
1876年
ルーヴル美術館　パリ

オディロン・ルドン

(1840～1916
フランス生まれ)

オディロン・ルドン〈キュクロプス〉
1914年頃　クレラー・ミュラー美術館
オッテルロー（オランダ）

ジョン・エヴァレット・ミレイ

(1829～1896　イギリス生まれ)

ジョン・エヴァレット・ミレイ〈オフィーリア〉
1851～52年　テート・ブリテン　ロンドン

アルフォンス・ミュシャ

(1860～1939
オーストリア生まれ)

アルフォンス・ミュシャ〈ジャンヌ・ダルク（部分）〉
1909年
メトロポリタン美術館
ニューヨーク

10 hours
Art history Studies 5
美術の歩み

▶22

キューブ(立方体)を積み重ねたように見える「キュビスム」

人間の胸と尻が同時に正面を向く立方体的表現

20世紀に入ると、美術は極めて多様性のある発展をしていきます。1905年にパリで開かれた秋季展(サロン・ドートンヌ)には、**マティス**や**ドラン**といった先進的な画家たちの作品が数多く展示されました。彼らの作品は、強烈な色彩とデフォルメされた形態によって、**「野獣(フォーブ)」**と呼ばれます。ここから**「フォーヴィスム」**という言葉が生まれます。

フォーヴィスムの画家の多くは、世紀末の象徴主義の画家**モロー**の教えを受けた者たちでした。様式は違いますが、伝統的な遠近法や色彩配置に従わない自由奔放さは、モローの指導の賜物といえるでしょう。また、その色彩感覚は**ゴーガン**の影響を強く受けています。

このフォーヴィスムから数年遅れて、**「キュビスム」**が登場します。キュビスムはルネサンス以来の**「空間の在り方」の常識を破壊し、描く対象の様々な面を切り落として解体し、再構築するという手法**を生みだしました。例えば人間を描く際、現実には同時に見えるはずのない胸も尻も両方正面を向いているという表現になります。そうやって描かれた作品は**立方体(キューブ)**を積み重ねたように見えるため、キュビスムの名で呼ばれるようになります。

この技法は**ピカソ**や**ブラック**によって先導されました。また、形態のとらえ方に関しては、**セザンヌ**の影響を受けています。

そして、このキュビスムの影響を受けたイタリアの若手画家たちが、前世紀までの文化を否定し、20世紀の新しい要素である**「速度・運動・光・機械」**を肯定的に表現しようとする美術活動を展開します。彼らは**「未来派」**と呼ばれました。

図表でわかる！ ポイント

20世紀～現代

絵画における物の見方、空間の在り方が変わった「フォーヴィスムとキュビスム」

伝統的な遠近法や色彩配置に従わないモロー

独特の色彩感覚のゴーガン

フォーヴィスム
強烈な色彩＋デフォルメされた形態

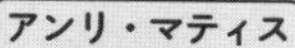

少ない色数で躍動感を表現したんだ

(1869～1954 フランス生まれ)

アンリ・マティス〈ダンスⅡ〉
1909～10年
エルミタージュ美術館
サンクトペテルブルク

形態の単純化を模索したセザンヌ

キュビスム
ルネサンス以降の「空間の在り方」の常識を破壊

パブロ・ピカソ
(1881～1973　スペイン生まれ)

スペイン内乱では市民が大勢死んでしまったんだ

パブロ・ピカソ〈ゲルニカ〉 1937年　レイナ・ソフィア国立美術館　マドリッド

▶23

伝統的な芸術様式や既存秩序の否定を目指した「ダダイスム」

戦争を機に厭世観や批判精神を表現する芸術が誕生

1914年に始まった第一次世界大戦は、銃火器や移動・通信手段の発達により、それまでとは比べものにならないほど凄惨な殺戮（さつりく）の場となり、大量の死傷者を出しました。この惨禍（さんか）を体験した人々の間には虚無感が広がり、また政治や社会体制に対する反発が急速に高まっていきます。

そんななか、厭世観や批判精神に裏打ちされた芸術が、自然発生的にヨーロッパ、およびアメリカなどで湧き起こります。この動きを**「ダダイスム」**といいます。大戦中の1916年にスイスで活動していたフランスの詩人**トリスタン・ツァラ**が、そのような方向性を持った芸術を**「ダダ」**と名づけたことから、この名称は定着しました。ただ、ダダという言葉自体には意味がなく、辞書を適当に開いて見つけた単語だともいわれています。

ともあれ、伝統的な芸術様式や既存秩序の否定や破壊を目的とするダダイスムの運動は世界各地に広がっていきました。その代表的な芸術家が大戦中ニューヨークで活動していたフランス人の**デュシャン**です。デュシャンは1917年に、自身が審査委員を務めている展覧会に偽名で、どこにでも売っている既製品の便器をそのまま出品しました。この作品は陳列を拒否されますが、デュシャンの狙いは、**「芸術とは何か」「美しいとはどういうことか」を改めて問い直すこと**でした。

このような、根本的な問いにつながる批判精神は、現在に至るまで現代美術にとって重要なテーマであり続けています。

図表でわかる！ ポイント

20世紀〜現代

厭世感や批判精神を表現する芸術「ダダイスム」

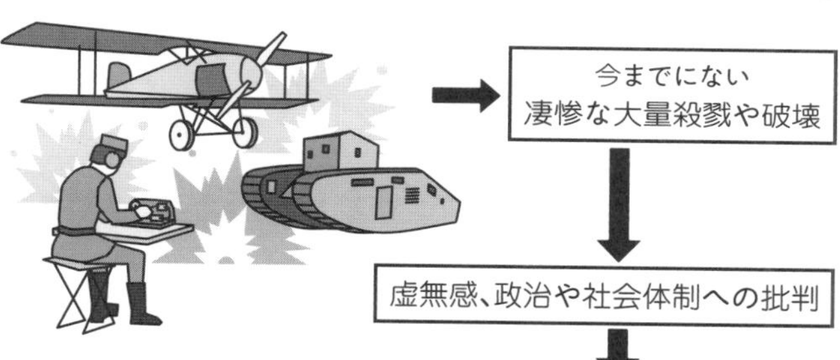

今までにない
凄惨な大量殺戮や破壊

↓

虚無感、政治や社会体制への批判

↓

伝統的な芸術様式や
既存秩序の否定や破壊 ＝ ダダイスム

ラウル・ハウスマン
(1886〜1971
オーストリア生まれ)

「ダダの哲学者」と
呼ばれたんだよ

マルセル・デュシャン

(1887〜1968　フランス生まれ)

見た目ではなく概念
(コンセプト)が重要なんだ

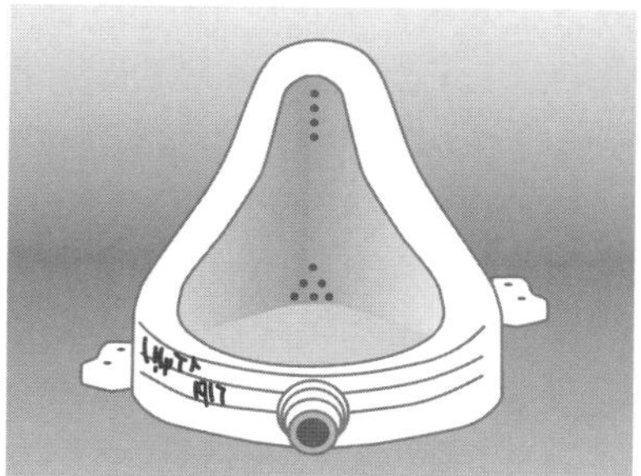

マルセル・デュシャン 〈泉〉
※実物写真から書きおこしたイラストです

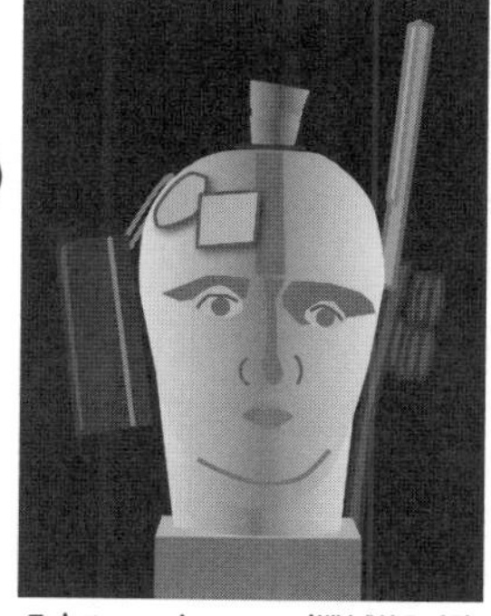

ラウル・ハウスマン〈機械的頭部〉
※実物写真から書きおこしたイラストです

ワンポイント

木製マネキンの頭部に定規や機械部品を貼り付けたのは、伝統的な大理石像やブロンズ像への批判的精神の発露である

10 hours
Art history Studies 5
美術の歩み

▶ 24

テクノロジーから新しい美を生みだそうとした「バウハウス」

建築家グロピウスを中心にドイツで創設された美術学校

大きな犠牲を出した第一次世界大戦でしたが、戦争はテクノロジーの発展をうながしました。それが、日用品や移動手段、通信機器などの形で日常生活に入り込んできました。産業革命以降の芸術は基本的に、文明の進歩に対する批判を含んでいましたが、もはや機械や技術は人間の暮らしから切り離せなくなっていました。戦後になると、それを積極的に取り込み、新たな美を生みだそうという動きが出てきます。その代表的存在が**「バウハウス」**です。

バウハウスとは1919年に建築家**グロピウス**を中心としてドイツで創設された美術学校です。ここでは、工業化による大量生産は、階層を超えてあらゆる人々が文明の恩恵に等しくあずかれるための手段と見なされました。そして、その実践として、食器や壁紙、布地など、さまざまな工業デザインが探究されました。

この学校では、**クレー**や**カンディンスキー**など第一線で活躍する芸術家たちが教師を務めていました。しかし、ナチスの台頭とともに1933年に解散に追い込まれます。

ところで、キリスト教が芸術を布教のために役立てようとしたように、常に芸術は宗教的、あるいは政治的な宣伝の手段として使われてきました。現代美術はそのような束縛からの解放を目的にしていましたが、第二次世界大戦が始まると、各国政府はプロパガンダ的効果を期待して露骨に芸術に干渉するようになります。この傾向はどの国も共通していましたが、とくに旧ソ連や、戦前から戦中にかけてのドイツやイタリアでは顕著なものとなりました。

図表でわかる！ ポイント

20世紀～現代

近代デザインの基礎となっている「バウハウス」

戦争は常に新たなテクノロジーの発展をもたらす

新しいテクノロジーは日常生活に欠かせないものになった

・建築家グロピウスを中心としてドイツで創設された学校
・工業デザインの探究が目的
＝ バウハウス

ヴァルター・グロピウス (1883～1969 ドイツ生まれ)

バウハウスは中世の工房がモデルなんだよ

ワシリー・カンディンスキー

(1866～1944 ロシア生まれ)

パウル・クレー

(1879～1940 スイス生まれ)

パウル・クレー 〈パルナッソス山〉
1932年 ベルン美術館 スイス

ワシリー・カンディンスキー 〈連続〉
1935年 フィリップス・コレクション ワシントン

▶ 25

フロイトの精神分析理論に影響を受けた「シュルレアリスム」

「無意識の力」に新たな芸術の可能性を見る

ダダイスムの理論的支柱の1人であったフランスの詩人**アンドレ・ブルトン**は、**トリスタン・ツァラ**との対立を契機にダダイスムから離れ、1924年に**『シュルレアリスム宣言』**を発表します。ブルトンの提唱した**「シュルレアリスム」**という新しい芸術は、フロイトの精神分析理論に影響を受けており、**意識下・認識下では予測のつかない無意識の力に、新たな芸術創造の可能性を見る**というものです。

このブルトンの主張は各国に多くの賛同者を得て、絵画のみならず文学や音楽などあらゆる芸術分野に広がっていきました。『シュルレアリスム宣言』が発表された同年末には、雑誌**『シュルレアリスム革命』**が刊行され、**エルンスト**や**デ・キリコ**、**ピカソ**らの作品が掲載されます。キュビスムを創始したピカソは、後年、シュルレアリスムに関心を移していました。また、キリコの作品に感動した**マグリット**もシュルレアリスムに深く関わっていきます。

さて、シュルレアリスム以降の現代美術については、あまりに多様な傾向が生まれ、それぞれが細分化されているため、一口に説明することはできません。

ただ、そんな現代美術が共通して抱えている問題が2つあります。1つはインターネットの登場により、誰もが自由に作品を発表できようになったことでプロとアマの境目があいまいになったこと。もう1つは、識字率の低い時代に絵画が担っていたメディアとしての役割がほぼ消滅したことです。そのため現代において美術は、趣味的な表現の場や自己表現としての側面が強くなっています。

図表でわかる！ ポイント

20世紀～現代

幻想や不条理が生む新しい芸術の世界「シュルレアリスム」

1924年

アンドレ・ブルトン

（1896～1966
フランス生まれ）

ダダイズムの中心人物の１人
アンドレ・ブルトンが『シュルレアリスム宣言』を発表

無意識＝予測不能　新たな芸術創造の可能性

シュルレアリスム

マックス・エルンスト

（1891～1976
ドイツ生まれ）

マックス・エルンスト
〈花嫁の衣装〉
1940年　グッゲンハイム美術館
ニューヨーク

ジョルジョ・デ・キリコ

（1888～1975
ギリシャ生まれ）

ジョルジョ・デ・キリコ
〈城への帰還〉
1969年　ローマ国立近代美術館
ローマ

ルネ・マグリット

（1898～1967
ベルギー生まれ）

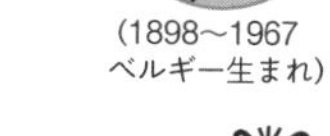

ワンポイント

家族間の愛や団結がテーマ。
伝統的かつ精緻な写実的技法を用いて現実にはあり得ない世界を作り出している

ルネ・マグリット〈大家族〉
1963年　宇都宮美術館　栃木県

column

世界の四大美術館④ プラド美術館

プラド美術館は、スペインのマドリッドにあるスペイン王室のコレクションを展示する美術館です。スペイン王室の美術品収集は、16世紀のフェリペ2世と17世紀のフェリペ4世の時代に基礎が築かれました。それらを展示する目的で1819年に王立美術館が開館。1868年に革命が起きるとプラド美術館と改称され、現在はスペインの国立美術館となっています。

所蔵されている美術品は、絵画約8600点、彫刻700点以上で、展示されているのはその一部です。とくにスペイン絵画のコレクションが豊富で、12世紀のロマネスク様式の壁画から近現代の作品まで揃っています。なかでもスペインで活躍した３人の画家、エル・グレコ、ディエゴ・ベラスケス、フランシスコ・デ・ゴヤの作品の充実ぶりは目を見張ります。

おもな収蔵作品は、エル・グレコの〈羊飼いの礼拝〉やベラスケスの〈ラス・メニーナス〉、ゴヤの〈裸のマハ〉〈着衣のマハ〉のほか、ヒエロニムス・ボスの〈快楽の園〉、ルーベンスの〈三美神〉、ムリーリョの〈無原罪の御宿り〉などです。

2007年には新館（ヘロニモス館）が増築されるなど、現在も美術館の規模は拡大を続けています。また、開館200周年を迎えた2019年には、『プラド美術館 驚異のコレクション』という映画も制作されました。

第5部

「寓意画」
「聖書画」「神話画」
に隠された
暗号を読み解く

10 hours Art history Studies 6 アレゴリー

▶ 01

「儚さ」「虚しさ」を示す物が描かれた寓意画「ヴァニタス」

髑髏、枯れた花、シャボン玉……「儚さ」「虚しさ」の象徴

ここからは、西洋美術の絵画において重要な主題となってきたものを取り上げていきます。まず、6章では様々な**「寓意画（アレゴリー）」**の主題を解説します。その1つめは**「ヴァニタス」**です。

ヴァニタスとは、**「儚（はかな）さ」**や**「虚しさ」**という意味のラテン語です。17世紀の静物画では、これを主題とする作品が数多く描かれました。具体的には、髑髏（どくろ）や腐った果物、枯れた花、欠けたグラス、砂時計や懐中時計、シャボン玉、本、壊れた楽器、貝殻などを描くことで、名声や権力など現世で得られる幸せは、時の移ろいのなかで失われてしまう儚い存在であることを表現します。

あるいは、17世紀オランダの画家**ピーテル・クラース**の、その名も**〈ヴァニタス〉**という作品では、燭台から一筋の煙が立ち上っている様子が描かれています。蠟燭の火が消えるさまも、死が訪れることを表す、儚さの定型表現です。

また、ヴァニタスでは、たんに「死」の象徴を描くだけではなく、同時に「生」の象徴も描くことで、いっそう主題が強調されることもあります。17世紀ブラバント公国（現在のベルギー）の画家**ヤン・ブリューゲル**（父）や、ほぼ同時代のイタリアの画家**カラヴァッジョ**には、みずみずしい花と枯れかけた花を並置することで、「生と死」の対比を表現している作品があります。

もっとも、ヴァニタスは静物画だけの主題ではありません。2章で解説した、人間の人生の3つの時期を同時に描く「三世代」（P66）という主題もヴァニタスのひとつです。

図表でわかる！ ポイント

この世の儚さを暗示するものを描く「ヴァニタス」

ヴァニタス ＝ 「儚さ」「虚しさ」のラテン語

髑髏、腐った果物、枯れた花、欠けたグラス、砂時計、
懐中時計、シャボン玉、本、壊れた楽器、貝殻

↓

静物画のなかに描き、ヴァニタスを示す

ピーテル・クラース〈ヴァニタス〉
1630年　マウリッツハイス絵画館　ハーグ(オランダ)

ワンポイント
「みずみずしい花」と
「枯れた花」＝「生」と「死」

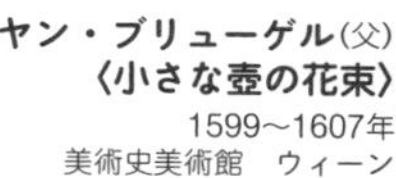

ヤン・ブリューゲル(父)
〈小さな壺の花束〉
1599～1607年
美術史美術館　ウィーン

ワンポイント
富の象徴「金貨」と「指輪」が枯れた花びらと描かれている

▶ 02

人間の視覚・聴覚・嗅覚・味覚・触覚は、どう表現された？

視覚＝鏡、聴覚＝楽器、嗅覚＝花、味覚＝果物、触覚＝鳥

中世のヨーロッパでは、人体への知識が増すに従って、人間の五感に関する理解も深まっていきました。それにともない、五感は絵画の主題として視覚化されるようになります。

当初、**五感の視覚化**は、伝統的に五感と結びつけられていた草花や動物で象徴されました。とくに1世紀古代ローマの博物学者プリニウスの大著『博物誌』に記されている様々な動物の特徴は、五感の図像形成に大きな影響を及ぼしました。それを受けて中世には、視覚は猫、聴覚は鹿、嗅覚は犬、味覚が猿、触覚が蜘蛛と結びつけられ、それぞれの動物を描くことで、五感は表現されるようになります。

この動物と五感の関連づけは、16世紀のマニエリスムの時代に、ほぼ固まりますが、同時にこの頃から**五感は動物ではなく、人の姿を模して表されることが多くなっていきます（擬人像）。**ようするに、人が楽器を手にしている姿が描かれれば聴覚を、果物を手にしていれば味覚を表していることになるのです。

ところで、なぜ五感が絵画の主題に選ばれたのでしょう。じつはキリスト教では、人間の五感は愛欲などの悪徳の入口とも見なされていました。それらの**欲望を戒める意味の主題**として、五感が選ばれたという側面もあります。

そのため、五感のテーマの多くは、ヴァニタスの意味も重ねて描かれました。**五感によって得られる快楽は、儚く、虚しい**という意味が込められたのです。

図表でわかる！ ポイント

目に見えない「五感」を描く試み

中世ヨーロッパ ➡ 人間の五感（視覚・聴覚・嗅覚・味覚・触覚）を絵のなかで表現するようになる

中世の一般的な五感と結び付けられた生き物

16世紀 ➡ 五感は擬人化されるようになった

ジェラール・ド・ライレッセ〈五感のアレゴリー〉
1668年　ケルヴィングローヴ美術館　グラスゴー

10 hours Art history Studies 6

アレゴリー

▶ 03

西洋で「美徳」と「悪徳」を主題にした絵画が多いのはなぜ？

キリスト教の戒めを痛烈に描いたヒエロニムス・ボス

本書でたびたび触れてきましたが、西洋の美術は長い間キリスト教の強い影響下にありました。そのキリスト教は、**「人間は弱く愚かな生き物」**という、ある種の性悪説に基づいています。人間は本質的に、たやすく堕落する存在だと考えられているのです。

そこで教会は、人間が陥りやすい悪徳を定め、死後の地獄の恐ろしさを強調しながら、悪徳の誘惑に負けないよう説きました。いっぽう、天国に行くためには、美徳に基づいた正しい信仰生活を送らなければならないとしました。

教会が定めた悪徳はいくつもありますが、なかでも大きいものは**「七つの大罪」**と呼ばれました。具体的には、**「大食・怠惰・色欲・傲慢・憤怒・嫉妬・貪欲」**です。美徳のほうは信仰上の「対神徳」と社会生活上の「枢要徳」にわかれ、前者は「信仰・希望・愛」、後者は「正義・賢明・節制・剛毅」から成り立っています。

また、西洋における絵画はキリスト教の教義を文字の読めない人に伝えるためのメディアという役割が大きかったため、この美徳と悪徳を主題とする絵画も多数描かれました。その代表的な作品のひとつが15世紀の画家**ヒエロニムス・ボス**の**〈七つの大罪〉**です。この作品では、それぞれの悪徳の様子が詳細に描かれています。

さらに、美徳や悪徳は擬人像で表されることも多く、その場合はそれらをわかりやすく識別するための**モチーフ（符号（アトリビュート））**が一緒に描かれるのが決まりとなっていました。例えば、「正義」を表す人物は天秤を持って描かれます（P23）。

図表でわかる! ポイント

「天国」と「地獄」という概念が生まれた背景

キリスト教の人間観 ＝ 人間は弱く愚かな生き物

悪徳 を戒めるために 地獄　美徳 を奨励するために 天国

⬇

悪徳(七つの大罪)

①大食　②怠惰　③色欲　④傲慢
⑤憤怒　⑥嫉妬　⑦貪欲

(※地域や時代によって異なります)

ヒエロニムス・ボス〈七つの大罪〉
1475〜80年
プラド美術館
マドリッド

ワンポイント
キリスト像。
その下の銘文は「神はすべてを見ている」

ヒエロニムス・ボス
(1450頃〜1516
ネーデルラント
生まれ)

10 hours
Art history Studies 6

アレゴリー

▶ 04

キリストの磔刑図に「太陽」と「月」が描かれている意味とは？

「キリストの復活」を暗示している

太陽が昇れば月は沈み、その太陽が沈むとまた月が昇ってきて、また朝になれば太陽が昇る。このような天体の動きは古代から洋の東西を問わず、**輪廻転生の思想**と結びつきながら、生と死の再生のサイクルとしてとらえられてきました。

西洋の絵画でもそういった意味を込めて、太陽と月が一緒に描かれることがあります。とくに、キリストの磔刑図に太陽と月が多く描かれるのはそのためで、**キリストの死後の復活を意味しています。**

例えば、11世紀の**〈『ハインリヒ二世の引用章句集』の象牙浮彫り扉〉**や、13世紀のフレスコ画**〈キリストの磔刑〉**は、どちらも十字架に磔にされ、処刑されるキリストを描いたものですが、両作品ともに太陽と月が描かれています。

ここで面白いのは、2作品とも太陽と月に人間のような顔があることです。もちろん、聖書にはそのようなことはひと言も書かれていません。太陽と月に顔が描かれたのは、**キリスト教とは関係のないギリシャ・ローマ神話の影響です。**それらの神話では太陽や月は、天を駆けるヘリオスとセレーネといった兄妹神や、双子の太陽神アポロンと月の女神アルテミス（ディアナ）などの男女の神と深く結びつけられていました。その影響から、太陽と月に人の顔が描かれているのです。

ちなみに、アルテミスをはじめとする月の女神の多くは処女神であることが多く、そこから処女である聖母マリアの図像に月が添えられることもよくあります（P55）。

図表でわかる！ ポイント

キリストの磔刑図に「太陽」と「月」が描かれる理由

**キリスト磔刑図の「太陽」と「月」には
輪廻転生的な意味がある**

キリスト死後の復活

〈『ハインリヒ二世の引用章句集』象牙浮彫り扉〉
1010年前後　バイエルン州立図書館
ミュンヘン

〈キリストの磔刑〉 13世紀初頭　カランルク教会　カッパドキア

10 hours Art history Studies 6

アレゴリー

▶ 05

「魔性の女」が肯定的に描かれるようになったわけは？

ロマン主義文学の影響や女性の地位の向上

「ファム・ファタル」とは**「運命の女」**や**「魔性の女」**という意味で、男性を誘惑して破滅をもたらす女性のことです。この主題は、西洋美術において長い間、様々な地域で描かれてきました。

禁じられた知恵の実を食べたことで人間が楽園を追放される原因を作った**エヴァ**や男の生首を求める**サロメ**や**ユディト**といった聖書に登場する女性。あるいは、災いをもたらす壺を持って地上に降りてきた**パンドラ**や男を動物に変える**魔女キルケー**、憎しみに駆られて我が子を手にかけた**メディア**、美しい歌声で船乗りを海に引きずり込む**セイレーン**、トロイア戦争の原因となった絶世の美女**ヘレネ**などギリシャ神話に登場する女性が、ファム・ファタルの代表的存在です。また、歴史上の人物では、古代エジプトの女王で美女と名高い**クレオパトラ**などもファム・ファタルと見なされてきました。

この主題は古くから、**女性の魅力に負けて身を滅ぼす男性の愚かさを戒める教訓を示す寓意画（アレゴリー）として描かれてきました。**つまり、基本的に彼女たちは否定的に描かれてきたのです。

しかし、19世紀に入るとオスカー・ワイルドの戯曲**『サロメ』**などのロマン主義文学の影響や、女性の地位向上運動の気運が高まったことから、ファム・ファタルは**「自立して行動力のある女性」**として肯定的に描かれるケースも出てきます。サロメを描いた**モロー**の**〈出現〉**や、エヴァを描いた**シュトゥック**の**〈罪〉**などが、新しいファム・ファタル像の代表的な絵画です。

図表でわかる！ ポイント

妖艶な誘惑者から自立した女性へと変貌した「ファム・ファタル」

禁じられた知恵の実を食べた**「エヴァ」**
男の生首を求める**「サロメ」「ユディト」**
男を動物に変える**「キルケー」**
トロイア戦争の原因となった**「ヘレネ」**

男を誘惑して破滅させる「魔性の女（ファム・ファタル）」

誘惑するヘレネ

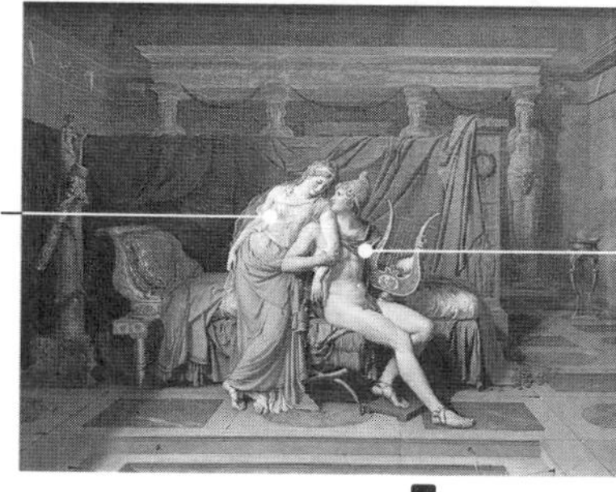

頬を赤く染めるパリス

ジャック＝ルイ・ダヴィッド〈パリスとヘレネ〉
1788年　ルーヴル美術館　パリ

オスカー・ワイルドの戯曲『サロメ』などで女性の地位向上

ワンポイント
サロメの堂々たる立ち姿は「母親からそそのかされた少女」というイメージを一変させた

ワンポイント
切り落とした洗礼者ヨハネの首がサロメの前に現れている絵

ギュスターヴ・モロー〈出現〉
1874～76年
ギュスターヴ・モロー美術館　パリ

▶ 06

ペストを恐れる人々から重宝され、一緒に描かれた動物とは？

ペストにかかった聖人ロクスを舐めて治したのが「犬」

14世紀にヨーロッパで大流行したペストは、当時のヨーロッパの人口の3分の1弱を死に至らしめるほど猛威を振るった疫病です。

この病気を発症すると、高熱が出て皮下出血を起こし、全身が黒紫色の斑点（はんてん）に覆われ、亡くなってしまいます。その症状から、「**黒死病**」とも呼ばれました。

医学が発達していなかった当時、この病気の原因は不明で、一度かかってしまえば逃れる術はありませんでした。そこで、人々はペストを**「神が神罰として無作為に放った矢」**だと考え、その矢から身を守るためにペストに対抗する守護聖人に祈りを捧げます。

そんなペストの守護聖人のなかでもとくに信仰されたのが、キリスト教迫害時代の**聖人セバスティアヌス**です。セバスティアヌスは、全身に矢を射られて処刑されましたが、一度は奇跡によって傷が治ったとされています。そこから、ペストの矢に当たっても、彼のように生き残れることを人々は祈ったのです。セバスティアヌスを描いた絵には、16世紀イタリアの画家**ソドマ**の**〈聖セバスティアヌス〉**など有名な作品が多くあります。

また、14世紀に懸命にペスト患者の看護にあたった**聖ロクス**も、対ペスト聖人として篤く信仰されていました。ロクスは自身もペストにかかりますが、犬が食べ物を運んできたり、舐めて治してくれたりしたという伝説があるため、**絵画の主題になるときは犬も一緒に描かれるのが通例です。**16世紀イタリアの画家**パルミジャニーノ**の**〈聖ロクスと寄進者〉**にも、しっかり犬が描かれています。

図表でわかる！ ポイント

感染症を恐れる人々から崇められた2人の聖人

14 世紀にヨーロッパで大流行したペスト

ペストを「神が無作為に放った矢」と考えた人々

全身に矢を浴びても復活した聖セバスティアヌスを守護聖人として崇めることに

ソドマ 〈聖セバスティアヌス〉
1525〜26年　ピッティ美術館　フィレンツェ

ワンポイント
セバスティアヌスは柱に縛り付けられている殉教の場面がよく描かれる

ロクスとセットで描かれる犬

パルミジャニーノ 〈聖ロクスと寄進者〉
1527年　サン・ペトローニオ教会　ボローニャ

ワンポイント
ペスト患者の看病に勤しんだ聖ロクスも篤く信仰された守護聖人

10 hours
Art history Studies 6

アレゴリー

▶ 07

不釣り合いな(年齢差/身分差)カップルの絵が多いのはなぜ?

娘の結婚に、親が高額な持参金を持たせる決まりがあった

年老いた男と若い娘のカップルを主題とする絵画が、西洋美術にはときどき見られます。例えば、16世紀ネーデルランドの画家**クエンティン・マセイス**の**〈不釣り合いなカップル〉**や、19世紀ロシアの画家**ワシリー・ウラディミロヴィッチ・プキレフ**の**〈不釣り合いな結婚〉**などがその代表例です。

この主題には当時のヨーロッパの社会状況が関係しています。ヨーロッパでは昔から、娘が結婚する場合、基本的に親は持参金を持たせる決まりがありました。その額は一般庶民でも100万〜300万円にもなりました。もちろん、貧しい家はそんな持参金は用意できません。その場合、**娘は奉公に出るか、修道女になるか、娼婦になる**程度の選択肢しかありませんでした。

いっぽう、当時は様々な職業に**ギルド**があり、都市の男性はそこに所属していました。そして、ギルドから親方資格をもらい、家族を養えるだけの経済力を持つまでには、長い修業期間がありました。そのため、**必然的に男性の結婚年齢は上がります。**また、女性の出産時感染症による死亡率は高く、妻を亡くした男性はすぐに次の若い妻を迎えます。このような事情があったため、**年の離れた不釣り合いなカップルは昔のヨーロッパでは当たり前**のものだったのです。

面白いことに、先に挙げたマセイスの作品では、女性が老人の財布を手にとり、後ろにいる若い間男にそっと渡している様子が描かれています。当時はこのようなことも、よくあったのでしょう。

図表でわかる！ ポイント

ヨーロッパで若い男がなかなか結婚できなかったわけ

中世〜近代ヨーロッパにあったギルド(同業者組合)

漁師

塗装

大工

鉄鋼

毛織工

染物屋

男はギルドで長い間修業をして、経済力を持たないと結婚できなかった

結婚なんて
当分無理だ

いいよな〜

ワンポイント

女性が手にしているのは老人の財布。後ろにいる間男にそれを渡している

クエンティン・マセイス〈不釣り合いなカップル〉
1520〜25年 ナショナル・ギャラリー ワシントン

ワシリー・ウラディミロヴィッチ・プキレフ〈不釣り合いな結婚〉
1873年　トレチャコフ美術館　モスクワ

10 hours Art history Studies 7

聖書

▶ 01

性別のない神が、男性の姿で描かれるのはなぜ？

神がアダムを「自分の姿に似せて創った」という記述があるから

西洋美術はキリスト教と密接に結びつきながら発展してきたものです。そのため、**聖書のなかの物語を主題とする絵画**が数多く描かれてきました。７章では、そういった聖書の主題を解説します。

キリスト教の聖典である旧約聖書の冒頭には、世界の成り立ちについて記されています。**天地創造**と呼ばれるその物語によれば、世界のすべては神が６日間で創造したことになっています。神は１日目に光と闇を創り２日目には天と地と海を、３日目には植物、４日目には太陽と月と星、５日目には水中に住む生き物と鳥が創られます。そして６日目に、最初の人間の男性であるアダムが土から創られました。**アダムとはヘブライ語で「土／人」という意味**です。

こうして世界が完成すると神は７日目に休み、安息日としました。現在も日曜日が休みになっているのは、ここからきた習慣です。

天地創造を主題とした絵画では、13世紀イタリアの画家**トリッティ**が制作した**〈天地創造〉**がアッシジの**サン・フランチェスコ大聖堂**に残されています。この絵には、神が６日間で世界を創造した様子が描かれています。ちなみに、聖書には神の性別は記されていませんが、伝統的に男性の姿をしていると考えられ、絵画でもそのように描かれてきました。これは、神がアダムを「自分の姿に似せて創った」という記述があるためです。

15世紀の画家**ヒエロニムス・ボス**にも、**〈世界の創造〉**という作品があります。こちらでは世界は真っ平らで、ドームのような空をともなった姿で描かれています。

図表でわかる！ ポイント

神は世界をわずか6日で創った

光と闇

2日目
天と地と海

植物

太陽と月と星

水中の生き物と鳥

土からアダム（人間）

ワンポイント

聖書に神の性別の記述はない。神がアダムを「自分の姿に似せて創った」とあるため男性の姿になっている

ヤコポ・トリッティ
〈天地創造〉
1290年頃　サン・フランチェスコ大聖堂
アッシジ

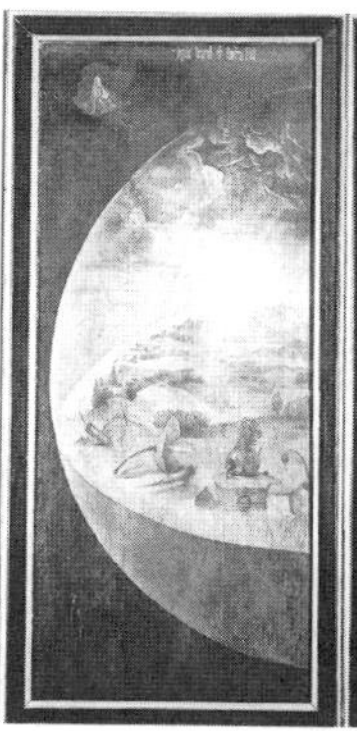

ヒエロニムス・ボス
〈世界の創造〉
1510～15年　プラド美術館　マドリッド

海には果てがあると考えられていたため冒険者の船が難破している

10 hours Art history Studies 7

聖書

▶ 02

翼のなかった天使に、なぜ翼が描かれるようになったのか？

聖書には、天使に翼があるという記述は1行もない

天使も西洋美術で好んで描かれてきた主題です。絵画のなかの天使は愛らしい幼児の姿から凜々しい青年、あるいは少女の姿まで、さまざまに描かれてきました。**天使は神の意志を人間に伝える霊的な存在**で、本来は肉体も性別もありません。

ところで、天使というと翼の生えた姿を思い浮かべる人も多いでしょう。ですが、じつは聖書には天使に翼があるという記述は1行もありません。そのため古代ローマの壁画などに描かれた天使は翼のない人間と同じ姿をしています。しかし、次第にギリシャ・ローマ神話の翼のある神々のイメージが混在するようになり、天使は翼のある姿で描かれるようになりました。とくに、**幼児に翼が生えた姿で表される天使は、ギリシャ・ローマ神話の愛の神クピド（キューピッド、ギリシャ神話ではエロス）の影響です。**

いっぽう、天使と対立する存在である悪魔も数多く描かれてきました。ただ、悪魔は神の創った完璧であるはずの世界にどうして悪や災厄があるのかという問題を解決するため、長い時間をかけて発達してきた概念です。そのため、**絵画に描かれる際は画家の自由な発想に任されました。**

また、キリスト教では不信心者は地獄に落とされると説き、地獄を描いた絵画も多数制作されました。しかし、聖書のなかに地獄の様子を詳細に説明した記述がないため、こちらも画家の自由な想像力が発揮されました。現在の私たちのイメージする地獄は、14世紀にダンテが書いた**『神曲』**などによって形作られたものです。

図表でわかる！ ポイント

もともとは翼が生えていなかった天使たち

聖書に天使に翼があるという記述はない

天使
※翼はありません

天に続く梯子を天使が昇り降りしている夢を見るヤコブ

〈ヤコブの梯子〉
4世紀
ラティーナ街道のカタコンベ
ローマ

ギリシャ・ローマ神話の愛の神クピドと同一視され、翼のある姿となった

ルシファーを追撃して地の底に沈めるミカエル

神への反逆を企てた堕天使ルシファー（ルキフェル）

ルカ・ジョルダーノ
〈堕天使を深淵に落とす大天使ミカエル〉
1655年頃　美術史美術館
ウィーン

▶ 03

アダムとエヴァが食べた禁断の実はリンゴではなかった!?

「禁断の実」＝「リンゴ」はギリシャ神話がきっかけ

神は最初の男性であるアダムを創ったあと、そのパートナーとして、アダムの肋骨を取り出して１人の女性を創ります。これが最初の女性であるエヴァです。

アダムとエヴァは神によって、楽園であるエデンの園に住まわせられます。このとき神は２人に、楽園にある善悪の知識の実を食べてはいけないと告げました。しかし、ずる賢い蛇にそそのかされたエヴァはその実を食べてしまい、エヴァに誘われてアダムも食べてしまいます。こうして神との約束を破った罰により、２人は楽園から追放されてしまいました。人類は楽園の生命の木の実を食べられなくなり、死ぬ運命となります。また、エヴァには出産時の苦痛が与えられてしまいます。

この物語は**「原罪」**と呼ばれ、「人間は生まれながらにして罪深い存在である」というキリスト教の思想の中核となっています。そして、原罪と楽園追放の主題は、絵画でも数多く描かれました。5章でも解説した**マザッチョ**の**〈楽園追放〉**(P129)は、その代表的な作品です。また、15世紀フランスの**ランブール兄弟**が手がけた彩色写本**『ベリー公のいとも豪華なる時禱書』**のなかにも、この物語が描かれています。

ところで、禁断の実は、絵画のなかでは伝統的にリンゴとして描かれています。しかし、聖書にはリンゴという記述はありません。禁断の実がリンゴとされるようになったのは、ギリシャ神話に登場する「大蛇に守られる黄金のリンゴ」のイメージの影響によるものです。

図表でわかる！ ポイント

人間に起こる災厄・苦しみは神が与えた罰

アダムの肋骨から
エヴァ誕生

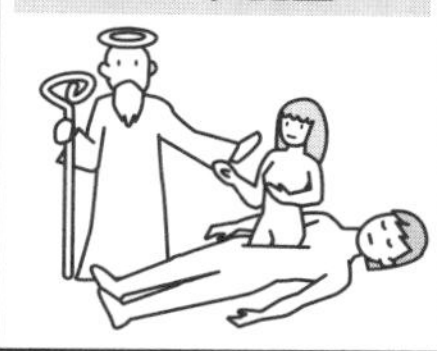

エデンの園に
2人で住む

神に「善悪の実」に
ついて注意される

蛇にそそのかされて
実を食べるエヴァ

エヴァに誘われて
アダムも食べる

楽園を
追放される

ランブール兄弟〈楽園追放〉
『ベリー公のいとも豪華なる時禱書』より
1413～16年頃　コンデ美術館　シャンティイ
（フランス）

マザッチョ〈アダムとエヴァ（楽園追放）〉
1424～27年頃　サンタ・マリア・デル・カルミネ教会
ブランカッチ礼拝堂　フィレンツェ

▶ 04 神は、なぜカインの供物を受け取らなかったのか？

人類最初の殺人が描かれた作品〈カインとアベル〉

楽園を追放されたアダムとエヴァの間には、その後、２人の男の子が生まれました。兄はカイン、弟はアベルと名づけられます。やがて兄弟は成長し、兄は畑を耕し、弟は羊を飼うようになります。そして、あるとき兄弟はそれぞれが育てた農作物と太った仔羊を神に捧げました。ところが、どういうわけか神はカインの供物を拒絶し、アベルの羊だけを受け取ります。カインはこの仕打ちに憤り、弟を自らの手で殺してしまいます。

旧約聖書に記された、このカインとアベルの物語は、人類初の殺人とも呼ばれています。なぜ神はカインの供物を受け取らなかったのかという謎や、兄弟殺しというショッキングな内容から、数多くの文学の題材ともなり、またこれを主題とした絵画も多数描かれました。

15世紀の**ファン・エイク兄弟**が**グリザイユの手法**（P90）で描いた**〈カインとアベル〉**や、16世紀ルネサンス期のヴェネツィア派の画家**ティントレット**の**〈カインとアベル〉**などが、その代表例です。ティントレットの作品は殺人のまさにその瞬間を描いており、筋肉の動きまで写し取ったような巧みな人体表現はミケランジェロから学んだものとされています。

ところで、神がアベルの供物だけを受け取ったのは、**旧約聖書を記したユダヤ人が遊牧民族だったからです。**彼らには、自分たちは神に選ばれた民であるとの「選民思想」がありました。カインはユダヤ人にとって脅威であった農耕民であるメソポタミア人やエジプト人を表しています。

図表でわかる！ ポイント

こうして人類初の殺人は行われた

アダムとエヴァの間に2人の男の子が生まれる

兄は畑を耕し弟は羊を飼う

兄は農作物を神に献上する

弟は太った仔羊を捧げる

神は農作物を断り羊だけ受け取る

兄が弟を殺す

ファン・エイク兄弟〈カインとアベル（神への捧げもの）〉

《ヘントの祭壇画》より
1432年　シントバーフ大聖堂
ベルギー

ヤコポ・ティントレット〈カインとアベル〉

1551～52年頃　アカデミア美術館　ヴェネツィア

ワンポイント

一見すると石の彫刻のように見えるが、淡彩（グリザイユ）で描かれている

10 hours Art history Studies 7

聖書

▶ 05

〈ロトとその娘たち〉で近親相姦が描かれているわけとは？

ユダヤ人の、ある民族に対する敵視や蔑視が込められている

旧約聖書のなかには、**ノアの方舟**のように、神が人類を滅ぼしてリセットしようとするエピソードがあります。ロトと娘たちの物語もその１つです。

ソドムとゴモラという２つの街があり、そこでは悪徳がはびこっていました。神はこの街を滅ぼそうと決意しますが、ソドムで暮らしていた**ロト**という男だけは信心深かったため、その家族と一緒に助けることにします。天使のお告げにより破滅が近づいていることを知ったロトは妻と２人の娘を連れて街を脱出しました。その際、ロトは天使から**「決して後ろを振り返ってはいけない」**と警告されていました。しかし彼の妻は振り返り、塩の柱になってしまいます。

無事に生き残ったロトとその娘たちは、その後、**近親相姦**によって子どもを作り、姉の子はモアブ人の、妹の子はアンモン人の先祖になったとされています。**モアブ人やアンモン人は、歴史的にユダヤ人と対立することが多かった民族**で、その先祖が近親相姦で生まれたとする記述には、ユダヤ人の彼らに対する敵視や蔑視が込められています。さらには、近親相姦から神話が始まる多神教と、唯一神がすべてを創る一神教の違いがあります。

ロトとその娘たちを主題とする絵画には、16 世紀オランダの画家**ルーカス・ファン・ライデン**の**〈ロトとその娘たち〉**や、同時代のドイツの画家**アルブレヒト・アルトドルファー**の**〈ロトと娘たち〉**などがあります。どちらの絵でも、父と娘の近親相姦の場面がクローズアップされています。

図表でわかる！ ポイント

ロトが近親相姦に及んだいきさつとは？

悪徳のはびこる街を見て神が怒る

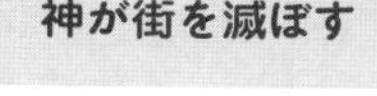

神が街を滅ぼす

街を逃げ出すロト夫婦と２人の娘

天使から警告を受ける

後ろを振り返り「塩の柱」となった妻

ロトは娘との近親相姦で子どもを作る

ワンポイント

聖書ではロトは娘たちが眠っている間に行動を起こしたとあるがこの絵における娘は……

アルブレヒト・アルトドルファー〈ロトと娘たち〉
1537年　美術史美術館　ウィーン

〈遠景〉 街が崩壊する様子

〈中景〉 避難するロトと娘たちと、塩の柱となった妻

〈近景〉 近親相姦に及ぼうとしている様子

ルーカス・ファン・ライデン〈ロトとその娘たち〉
1520年頃　ルーヴル美術館　パリ

円形、中景、近景で、異なる時間を同じ画面に描いている（異時同図法）

▶ 06 我が子を生贄に捧げる父の苦悩を描いた〈イサクの犠牲〉

カラヴァッジョが得意とした技法で劇的に描かれる

ユダヤ人の先祖は、旧約聖書によれば**アブラハム**という人物だったとされています。遊牧民だった彼は、遠いカナンの地を与えるという啓示を神から受けて旅立ちました。そして、のちにアブラハムの子孫がカナンの地に国を建てます。

アブラハムには、老齢になるまで子どもがいませんでした。しかし、100 歳になったとき、90 歳の妻サラとの間に子どもができます。彼は、子イサクを目に入れても痛くないほど溺愛しますが、あるとき神はイサクを生贄として捧げろと告げます。

当然、アブラハムは苦悩しましたが、神を熱心に信仰していた彼は愛する息子を生贄にすることを決意します。そして、とうとう我が子を手にかけて殺そうとしたとき、アブラハムの信仰心を認めた神は天使を遣わし、生贄を中止させました。神はアブラハムを試していたのです。旧約聖書のなかには、このように神が人間を理不尽な目にあわせることで**信仰心を試す物語**がいくつもあります。ヨブ記などもその典型で、それらは「神を畏れよ」というメッセージなのです。

16 ～ 17 世紀に活躍したイタリアの画家**カラヴァッジョ**に、この主題を描いた**〈イサクの犠牲〉**という作品があります。今まさに我が子を殺そうとしているアブラハムと恐怖に顔を歪めるイサク、それを止める天使が、大きな身振りと強い明暗の対比で劇的に描かれています。カラヴァッジョが得意とした明暗を強調する技法は**「キアロスクーロ」**といい、以後の画家たちに大きな影響を与えました。

図表でわかる！ ポイント

神がアブラハムに「息子を殺せ」と命じたわけとは？

神からカナンの地を与えられるアブラハム

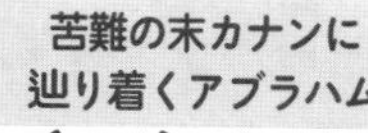

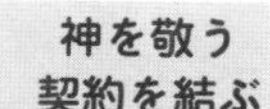

妻との間にイサクを授かる

神からイサクを生贄にするよう迫られる

イサクを殺そうとしたとき天使に止められる

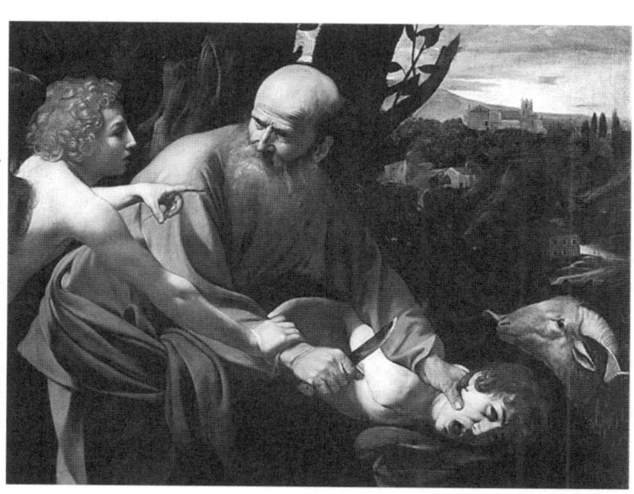

アブラハムを止めようとする天使
※この結果イサクは殺されずにすむ

ミケランジェロ・メリージ・ダ・カラヴァッジョ
〈イサクの犠牲〉
1601年　ウフィツィ美術館　フィレンツェ

10 hours
Art history Studies 7

聖書

▶ 07

フィレンツェ市庁舎に、ダヴィデ像が設置された理由とは？

知恵と勇気で巨人を倒したダヴィデを自国のシンボルとした

旧約聖書には、アブラハムの子孫たちが神との契約通り、カナンの地にイスラエルという国を創ったことが記されています。ですが、周囲には敵が多く、とくにペリシテ人との争いが絶えませんでした。

ペリシテ人の軍隊にはゴリアテという3メートル近い巨人の戦士がいて、イスラエルの軍隊は歯が立ちません。

しかし、イスラエルの**ダヴィデ**という少年が戦場の兄たちに食料を届けに来たとき、果敢にもゴリアテに立ち向かいます。ダヴィデは**紐と石だけを持って巨人と対峙**し、まず敵の額めがけて紐で石を投げつけました。石は見事命中し、ゴリアテは前のめりに倒れます。その隙に、ダヴィデはゴリアテの腰から剣を抜き取り、首を切り落としてしまいました。

ゴリアテの敗北に動揺したペリシテ人たちは戦意を失い、勢いづいたイスラエルが勝利を収めます。こうしてダヴィデは英雄となり、イスラエルの第2代の王となります。

この**英雄譚**は西洋では知らない人がいないほど有名で、またイエスの先祖がダヴィデとされていることから、キリスト教徒の間ではとくに人気があります。そのため、**ダヴィデを主題とした美術作品が数多く制作されました。**

16世紀以降、フィレンツェ市庁舎には**ミケランジェロ**が制作した**〈ダヴィデ像〉**が設置されていました。新興国フィレンツェは、周囲の大国に負けないよう、**知恵と勇気で巨人を倒したダヴィデを自国のシンボルとした**のです。

図表でわかる! ポイント

西洋では知らない人がいないほど有名な英雄譚

巨人ゴリアテを擁するペリシテ軍

イスラエル軍はまったく歯が立たない

兄たちに食料を届けに来た少年ダヴィデ

紐と石だけを持ってゴリアテのところに向かう

ゴリアテの額めがけて紐で石を投げるダヴィデ

倒れたゴリアテの首を切るダヴィデ

ワンポイント

フィレンツェ市庁舎に設置されたミケランジェロの作品。小国が周囲の国を押しのけて生き残るという街の意志を示す

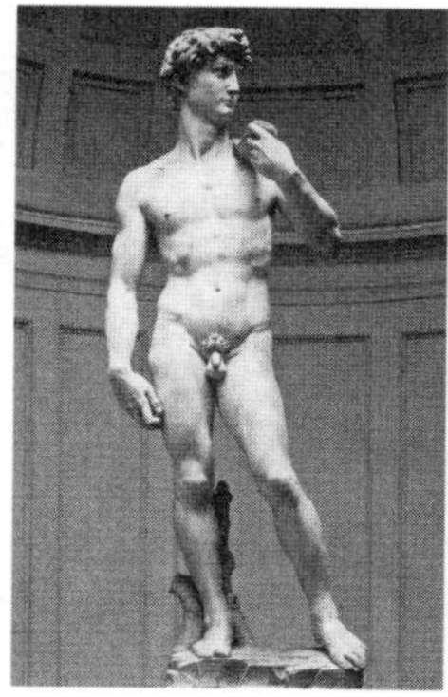

ミケランジェロ・ブオナローティ〈ダヴィデ〉
1501～04年
アカデミア美術館
フィレンツェ

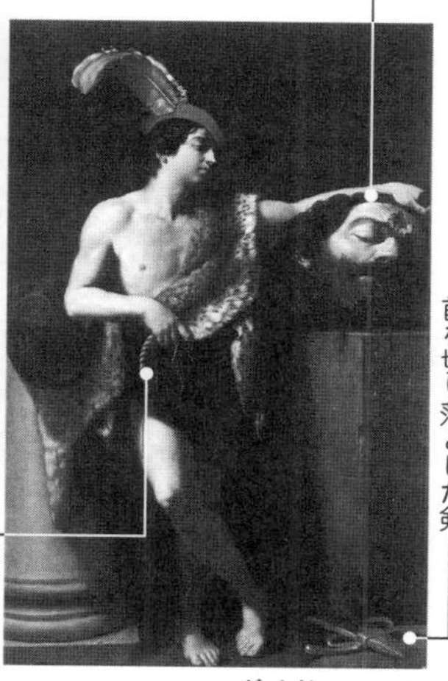

グイド・レーニ〈ゴリアテの首を持つダヴィデ〉
1604～06年　ルーヴル美術館　パリ

▶ 08 魔性の女サロメが、盆に載った首とセットで描かれる理由

母にそそのかされ、踊りの褒美に聖者の生首を所望する

サロメは新約聖書に登場する女性です。踊りの褒美に洗礼者ヨハネの首を所望した残酷な逸話は多くの絵画に描かれ、また彼女はファム・ファタル（P174）を代表する女性の１人となりました。聖書に記されたサロメの物語は次のようなものです。

聖母マリアの従姉妹であるエリザベツが高齢で１人の男の子を生みました。これがのちに**イエスに洗礼を授けるヨハネ**です。ヨハネはイエスに洗礼を施したのち、当時のユダヤ王ヘロデが兄弟の妻ヘロディアと結婚していることを非難したため、捕えられてしまいます。しかし、**ヨハネは民衆からの人気が高かった**ため、ヘロデ王はなかなか殺せません。

そんなある日、宴会が開かれ、**ヘロディアの連れ子サロメ**が見事な踊りを披露します。それに感動したヘロデ王は何でも望みの褒美をやろうといいました。すると、**母親にそそのかされたサロメは、盆に載ったヨハネの首を望んだ**のです。こうして、ヨハネは首を切られて処刑されてしまいました。

この逸話から、サロメは盆に載ったヨハネの首とセットで描かれることが多くなっています。15世紀イタリアの画家**フィリッポ・リッピ**の**〈ヘロデの宴〉**や、16世紀イタリアの画家**ベルナルディーノ・ルイーニ**の**〈洗礼者ヨハネの首をヘロデ王に差し出す執行人〉**でも、サロメはヨハネの首と一緒に描かれています。ちなみに、19世紀にオスカー・ワイルドが書いた戯曲『サロメ』では、サロメがヨハネに恋をしていたという斬新な解釈がなされています。

図表でわかる！ ポイント

サロメは、どうして聖ヨハネの首を望んだのか？

聖者ヨハネに非難されるヘロデ王

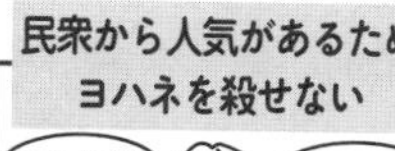

民衆から人気があるためヨハネを殺せない

ヘロデ王の前で踊るサロメ

サロメに望みの褒美を聞くヘロデ王

ヨハネの首を望むサロメ

ヨハネは首を切られ処刑された

ワンポイント
ヨハネの首を母ヘロディアに差し出すサロメ。異なる時間を同じ画面に描く技法で描かれている

フィリッポ・リッピ
〈ヘロデの宴〉
1452〜64年　プラート大聖堂内陣　プラート

ベルナルディーノ・ルイーニ
〈洗礼者ヨハネの首をヘロデ王に差し出す執行人〉
1527〜31年　ウフィツィ美術館　フィレンツェ

10 hours Art history Studies 7

聖書

▶ 09

時代とともに描かれ方が大きく変わった「受胎告知」

一見しただけでは「受胎告知」とわからない絵も

聖書の場面を描いた絵画のなかで、もっとも人気が高いのはこの**「受胎告知」**かもしれません。受胎告知とは、聖母マリアが処女のままイエスを宿したことを天使に知らされるという場面です。

ある日、読書をしていたマリアのもとを天使が訪れ、懐胎を祝福。そして、生まれる子にイエスと名づけるよう告げます。処女だったマリアは驚きますが、やがて神の意志を受け入れます。これは**イエスの生涯の最初の場面**なので、キリスト教徒にとっては非常に大切です。そのため、さまざまな画家たちが好んで主題として取り上げてきました。そして、その作風は時代時代の影響を受け、大きく変わっていきます。

14世紀プロト・ルネサンス期の画家**マルティーニの〈受胎告知〉**は金箔を多用し、とてもきらびやかなのが特徴です。当時は、このように非現実的に描くことが、この主題に相応しいと考えられていました。しかし、15世紀のルネサンス期には、**カンピン**の作品のように、普通の室内を背景に描かれるようになります。こちらのほうが、見る人が感情移入しやすいと考えられたためです。

さらに、16世紀の**マニエリスム期**になると、**エル・グレコ**の作品のように、よりドラマティックな場面表現に変化していきます。そして、19世紀には**ラファエル前派**を代表する**ロセッティ**のように、憂いに満ちた受胎告知も描かれるようになりました。ロセッティの作品では、天使には翼もなく、マリアも幼い少女のようで、一見しただけでは受胎告知の場面とは気づかないほどです。

図表でわかる! ポイント

聖母マリアが処女のままイエスを身籠る物語

マリアのもとに 天使がやってくる

子を宿しましたよ

天使が生まれた子にイエスと 名づけるよう告げる

天使の言葉に驚くマリア

マリアが神の意志を 受け入れる

レオナルド・ダ・ヴィンチ〈受胎告知〉
1472～75年頃 ウフィツィ美術館 フィレンツェ

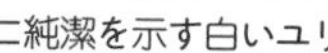

ロベルト・カンピン〈受胎告知〉
1420～25年頃 メトロポリタン美術館 ニューヨーク

エル・グレコ〈受胎告知〉
1599～1603年頃 大原美術館 岡山県

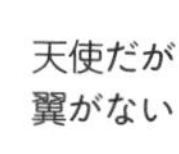

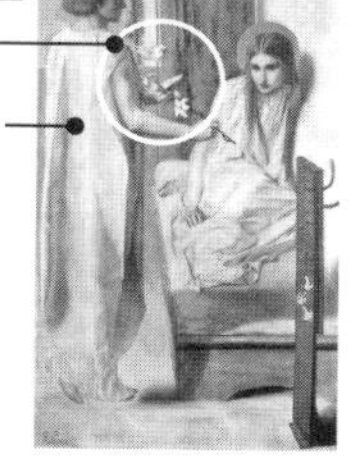

ダンテ＝ガブリエル・ロセッティ〈受胎告知〉
1849～50年 テート・ギャラリー ロンドン

▶10 〈東方三博士の礼拝〉で賢者の人種や世代が違うわけ

全人種、全世代の人々がイエスを礼拝することを意味している

イエスはベツレヘムという街の馬小屋で生まれたとされています。そのとき、神の子イエスの誕生を知らせる星が夜空に出現したことに気づいた**3人の賢者が**、誕生を祝福しようとベツレヘムに向かいます。３人の賢者は、**東方三博士**（マギ）とも呼ばれていました。

ベツレヘムに向かう途中、三博士は**ユダヤ王ヘロデ**を訪れ、「ユダヤ人の王としてお生まれになった方（イエス）は、どこにおられますか」と尋ねます。ヘロデ王は自分の王座を奪うイエスの誕生に驚きつつも**「知らないが、見つけたら私のもとに知らせるように」**とだけ命じます。

その後、三博士は無事イエスのもとに辿り着き、それぞれ贈り物をしました。それは、イエスの王権を表す**「黄金」**、イエスの神性を表す**「乳香」**、死体を保存するための薬であり、イエスの死を暗示する**「没薬」**でした。

この場面も、多くの絵画の主題となっています。絵のなかで三博士は、それぞれヨーロッパ、アジア、アフリカの人に描きわけられたり、老年、壮年、少年の三世代に描きわけられたりするのが一般的です。これは、**全人種、全世代の人々がイエスを礼拝する**こと、つまりキリスト教を信仰するようになること表しています。

16世紀ドイツの画家**デューラー**の**〈東方三博士の礼拝〉**では、ヨーロッパから見た各人種のイメージを受けて、賢者たちは老年のアジア人、壮年のユーロッパ人、少年のアフリカ人として描かれています。

図表でわかる！ ポイント

「東方の三博士」は、なぜ人種も世代も違った形で描かれるのか？

神の子の誕生を知らせる星を見つけた三博士

ベツレヘムに向かう三博士

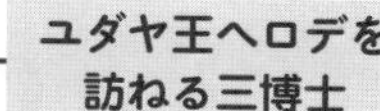

ユダヤ王ヘロデを訪ねる三博士

イエスの誕生に驚くヘロデ王

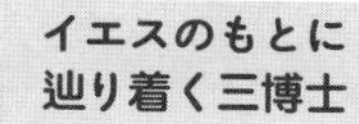

イエスのもとに辿り着く三博士

イエスに贈り物をする三博士

アルブレヒト・デューラー 〈東方三博士の礼拝〉
1516年　ウフィツィ美術館　フィレンツェ

ワンポイント

三大陸、三世代を描くことでキリスト教が全世界に広まることを暗示

▶11 レオナルド・ダ・ヴィンチの〈最後の晩餐〉は、ここがすごい

イエスと12人の弟子を横一列に並べる斬新な構図

数々の奇跡を起こしたことで、イエスの教えは多くの人々に広まっていきました。そして、イエスと行動をともにする12人の弟子も現れます。ですが、人々から救世主と見なされたイエスの存在は、当時の**ユダヤ教の司祭たちにとっては危険人物**以外の何者でもありません。そこで、イエスを亡き者にしようと、司祭たちは弟子の1人であったユダを銀貨30枚で買収し、裏切らせます。

そんなこととは知らない他の弟子たちは、ユダヤ民族伝統の**「過越（すぎこし）の祭」**の晩餐の準備を進めていました。そして、全員が席についた途端、イエスが**「このなかに、私を裏切ろうとしている者がいる」**と告げます。その衝撃的な言葉を聞いた弟子たちの間には動揺が走ります……。

新約聖書に記されたこの劇的な**「最後の晩餐」**は、その後のミサ（聖餐式）のもととなるもので、多くの絵画の主題となっています。そのなかでも、とくに有名なのは**レオナルド・ダ・ヴィンチ**の作品でしょう。

それまでの最後の晩餐の絵画の多くでは、裏切り者であるユダを1人だけテーブルの手前に描く構図が一般的でした。しかし、レオナルドは**イエスと12人の弟子を横一列に並べる**斬新な構図で描き、ユダの手に銀貨の入った袋を握らせることで彼が裏切り者であることを暗示しました。また、ユダの隣では裏切り者を切りつけようとペテロがナイフを持って描かれるなど、12人の弟子それぞれがいきいきと描かれています。ちなみに、このレオナルドの〈最後の晩餐〉は、彼の作品のなかでは数少ない完成品のひとつです。

図表でわかる！ ポイント

イエスを弟子のユダが裏切る衝撃的なシーン

イエスの教えは多くの人に広まっていく

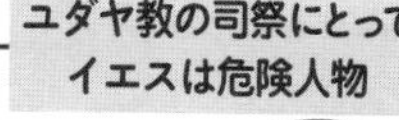

ユダヤの司祭がユダを銀貨30枚で買収する

「過越の祭」の晩餐の準備を進める12人の弟子たち

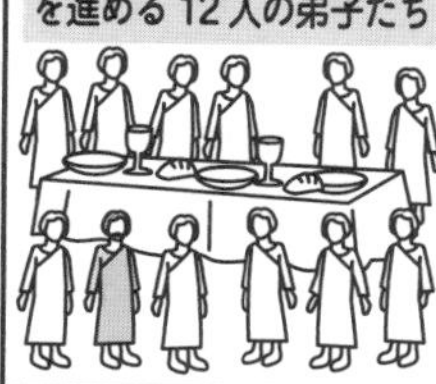

「この中に裏切り者がいる」と告げるイエス

弟子たちの間に動揺が走る

レオナルド・ダ・ヴィンチ〈最後の晩餐〉
1498年　サンタ・マリア・デッレ・グラーツィエ教会
ミラノ

お金を握りしめるユダ。隣ではペテロがナイフを持っている

裏切り者のユダを1人だけテーブルの手前に描くのが一般的だった〈最後の晩餐〉を横一列で描いた斬新な構図

▶12 〈最後の審判〉でイエスの左右に羊と山羊を描く理由とは？

羊は善人の、山羊は悪人の喩え

キリスト教では、やがて**「最後の審判」**と呼ばれる世界の終わりが訪れ、そのときには、これまで死んだ人間も含めたあらゆる人が天国に行く者と地獄に行く者に振りわけられるとされています。新約聖書でイエスは、「驚いてはならない。墓のなかにいる者は皆、人の子の声を聞き、善を行った者は復活して命を受けるために、悪を行った者は復活して裁きを受けるために出てくるのだ」と語っています。そして、羊飼いが羊と山羊をわけるように、天国と地獄に人間がわけられるというのです。ここでいう**羊は善人の**、**山羊は悪人の**喩(たと)えです。

このイエスの言葉から、初期の「最後の審判」を主題とした絵画は、イエスを中央に描き、その左右に羊と山羊を描くだけのシンプルな構図が主流でした。イタリアのラヴェンナにある6世紀初頭に制作された**サンタポリナーレ・ヌオーヴォ聖堂**のモザイク画もその一例です。

しかし、時代を経るにつれ、天国と地獄にわけられる人間たちも描かれるようになります。洋の東西を問わず、右は善、左は悪とされていたため、天国と地獄も（神から見て）右と左に位置しています。

16世紀に**ミケランジェロ**が**システィーナ礼拝堂**の壁一面に描いた**〈最後の審判〉**では、中央に描かれたイエスの周りに、上部には天国が、下部には地獄が描かれました。さらに、その周囲には審判を待ち受ける人々が390人以上も描かれるという壮大な作品になっています。この傑作はしかし、完成直後から批判にさらされ、裸体の一部が長く加筆で隠されていました。

図表でわかる! ポイント

天国に行く人と地獄に行く人がわけられる「世界の終わりの日」

善を行った者は復活して命を受けるために、悪を行った者は復活して裁きを受けるために出てくるのだ

イエス

羊（善人の喩え）

山羊（悪人の喩え）

〈最後の審判（羊と山羊を分かつキリスト）〉
6世紀初頭
サンタポリナーレ・ヌオーヴォ聖堂
ラヴェンナ

ミケランジェロ・ブオナローティ〈最後の審判〉
1536～41年
システィーナ礼拝堂
ヴァチカン

▶ 13

神とイエスの間に、白い鳩がいるのはなぜ？

神とイエスと聖霊の複雑な関係

三位一体とはキリスト教の教義で、**父である神**と、その子である**イエス**、そして**聖霊**を同一のものと見なす概念のことです。聖霊とは聖書において、「神の活動する力」のこととされ、ひいては神の教えやメッセージも含みます。

イエスは聖書のなかではたびたび**「神の子」**と呼ばれていますが、神と神の子は違うのか、また神の子ではあるがイエス自身は人間なのか、それとも神なのかというのは、何世紀にもわたってキリスト教のなかでも議論が続いていました。**キリスト教は一神教**ですので、神が複数いてはまずいのですが、とはいってもイエスをただの人間であるともしづらいためです。

そして、４世紀にようやく固まったのが、**「三位一体」**という概念です。これにより、神とイエスと聖霊は本質的には同一だが、3つの位格（ペルソナ）を持つとされました。父と子が同一というのは外部からは理解しづらいところもありますが、現在もカトリック、プロテスタント、ギリシャ正教など主要なキリスト教の宗派はこの概念を正統と認めています。ちなみに、あとからできたものなので、聖書に三位一体という言葉はありません。

絵画ではこの三位一体という主題は、**父なる神と磔にされたイエスの間に白い鳩の姿を借りた聖霊を描く構図**が一般的です。マザッチョの〈三位一体〉もこの構図で描かれています。聖霊が鳩で表されるのは、新約聖書に「霊が鳩のように天から降って」という言葉があるためです。

図表でわかる! ポイント

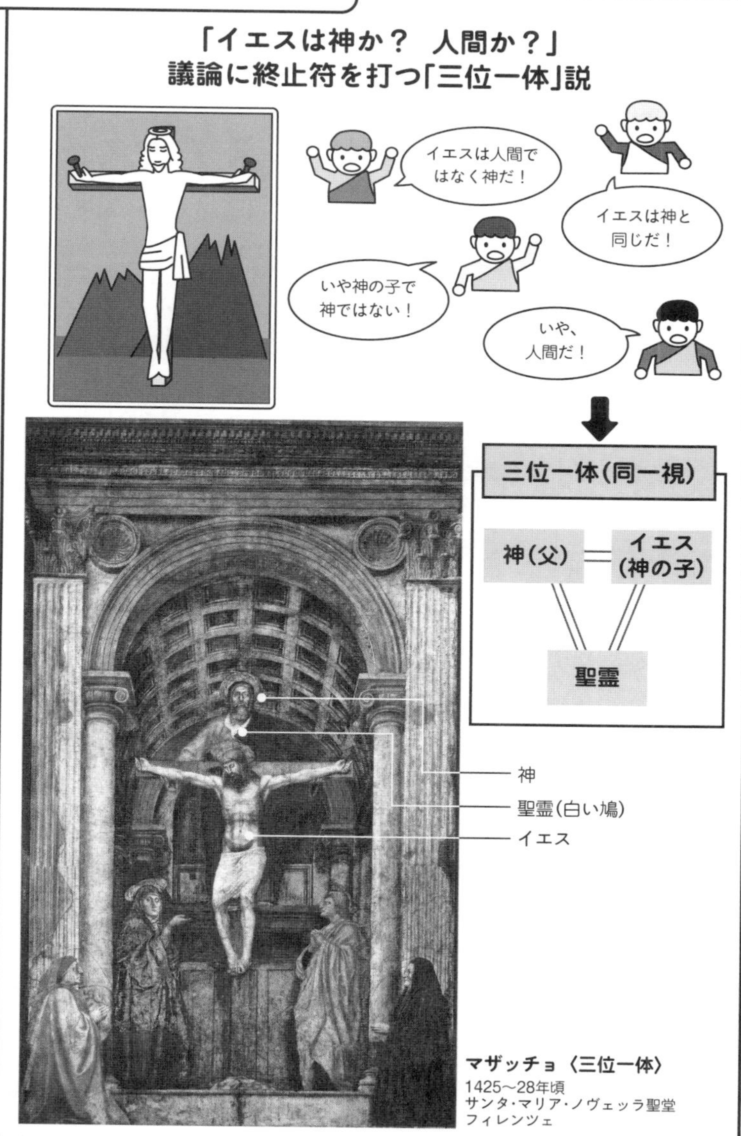

マザッチョ〈三位一体〉
1425〜28年頃
サンタ・マリア・ノヴェッラ聖堂
フィレンツェ

10 hours Art history Studies 8

神話

▶ 01

神話が生んだ壮絶な大作〈我が子を喰らうサトゥルヌス〉

神々の王はなぜ「わが子を喰らった」のか？

キリスト教と並んで、ヨーロッパの精神文化の基盤にあるのがギリシャ・ローマ神話です。そのため、この神話を主題とする絵画も数多く描かれてきました。８章では、ギリシャ・ローマ神話から来た主題を解説していきます。

17世紀フランドルの画家**ルーベンス**と、19世紀スペインの画家**ゴヤ**に**〈我が子を喰らうサトゥルヌス〉**という作品があります。どちらも、全裸の巨人が子どもを食べる恐ろしい絵です。

サトゥルヌスはローマ神話の神で、ギリシャ神話のクロノスと同一視されている存在であり、**天空の神ウラノス**と**大地母神ガイア**の間に生まれた末っ子です。ウラノスは我が子たちを醜いといって嫌い、次々と冥界に落として閉じ込めていました。夫のこの行為に怒ったガイアは、まだ冥界に落とされていなかったクロノスに命じ、鎌で父ウラノスを去勢させます。

その後、クロノスは妹のレアと結婚しますが、「いつか自分の子に殺される」という神託を受けてしまいます。そこでクロノスは、子どもが生まれると次々に飲み込んでいきました。ルーベンスとゴヤが描いているのが、神話のこの場面なのです。ルーベンスの絵では、サトゥルヌス（クロノス）が父を去勢したときに使った鎌も描かれています。また、両作品とも子殺しの連鎖という暗い主題のため、**陰惨で血生臭い作風**となっています。ちなみに、クロノスものちに我が子ゼウスに倒され、冥界に幽閉されてしまいます。世界中にある「子殺し / 父殺し」の神話の一例です。

図表でわかる！ ポイント

神々の王クロノスが我が子を喰らう衝撃のシーン

ウラノスとガイアの間に生まれたクロノス

ウラノスは子どもたちを冥界に閉じ込める

怒ったガイアはクロノスに去勢を命じる

父ウラノスを鎌で襲うクロノス

妹レアと結婚したクロノスは神託を受ける

恐れたクロノスは我が子を飲み込む

サトゥルヌス（クロノス）を表す持ち物である鎌

ピーテル・パウル・ルーベンス
〈我が子を喰らうサトゥルヌス〉
1636年頃　プラド美術館　マドリッド

フランシスコ・デ・ゴヤ
〈我が子を喰らうサトゥルヌス〉
1820～24年　プラド美術館　マドリッド

▶ 02

冥王プルートが春の女神をさらうシーン〈プロセルピーナの略奪〉

地上に「季節」ができたきっかけ

ギリシャ神話の女神ペルセフォネーは、ローマ神話では**プロセルピーナ**と呼ばれています。あるとき、**冥府の支配者プルート**（ギリシャ神話ではハデス）は、**クピド**（ギリシャ神話ではエロス）の放った恋の矢に射抜かれ、プロセルピーナに一目ぼれしてしまいます。そして、彼女を強引にさらって、冥府に連れていってしまいました。

プロセルピーナの母親である**豊穣の女神ケレス**（ギリシャ神話ではデメテル）は娘を取り戻しに冥府に赴きますが、それは叶いませんでした。神々の掟に、一度でも冥府の食物を口にした者は地上に戻ってはいけないというものがあり、プロセルピーナは冥府のザクロの種を食べてしまったあとだったからです。

それでもプロセルピーナが母親と帰りたがったため、プルートは妥協案として、１年の半分だけは彼女を地上に戻すことを約束しました。しかし、ケレスはそれでも不満で、娘が冥府にいる半年間は仕事を放棄し、地上に作物の実りをもたらさなくなってしまいました。これが、**地上に季節があることの説明**に用いられたのです。

この神話を主題とした作品に、16 世紀イタリアの画家**ニッコロ・デッラバーテ**の**〈プロセルピーナの略奪〉**があります。彼は精密な風景描写を得意としており、プルートがプロセルピーナを略奪する劇的な場面を、広大で美しい風景のなかに描きました。ちなみに、デッラバーテは**フォンテーヌブロー宮殿の装飾**にも関わるなどフランスでも活動し、彼の風景描写は、のちのフランス絵画の風景画の発展に大きく貢献しています。

図表でわかる! ポイント

地上に「季節」がもたらされるきっかけとなったシーン

アモール(クピド)の矢に当たってプロセルピーナに一目ぼれしたプルート

プロセルピーナをさらって冥府に連れていく

ケレスはプルートに娘を返すよう要求

冥府の食べ物を口にした者は地上に帰れない掟があった

1年の半分だけ地上に戻すことを約束するプルート

ケレスは娘が冥府にいるとき仕事をしなくなった

ニッコロ・デッラバーテ〈プロセルピーナの略奪〉
1570年頃　ルーヴル美術館　パリ

ワンポイント

プロセルピーナと森で戯れていたニンフたち(左)は必死で止めようとしている

▶ 03 なぜキリスト風に描かれている？モローの〈プロメテウス〉

キリストとプロメテウスの意外な共通点

プロメテウスは神話における人類の創り手です。彼は猛獣の脅威や寒さに怯(おび)える人類を哀れみ、天界の火を盗んで人類に与えました。

神の専有物である火が盗まれたことに怒ったゼウスは、プロメテウスを捕えると、**永遠に鷲に肝臓をついばまれる罰**を与えました。さらに、ゼウスは人類もこらしめようと考え、最初の人類の女性であるパンドラを創り、プロメテウスの弟エピメテウスに贈ります。エピメテウスは彼女を妻にしますが、パンドラは嫁入りの際、**「絶対に開けてはいけない」**とされる箱をゼウスに持たされていました。

ところが、好奇心に負けた彼女は箱を開けてしまいます。すると、なかからあらゆる災いが飛び出し、人類は争いや病、死で苦しむことになってしまいました。

19 世紀フランスの画家**モロー**に**〈プロメテウス〉**という絵があります。この作品のなかでプロメテウスは、キリストのように描かれています。人類のために自らを犠牲としたキリストを、プロメテウスと重ねているのです。

同様に、16 世紀フランスの画家**ジャン・クーザン**（父）の**〈エヴァ・プリマ・パンドラ〉**は、神話と聖書における最初の女性で、かつ原罪の行為者となったパンドラとエヴァを同一視した作品です。ルネサンス以降、多神教文化たる神話が一神教のキリスト教世界に持ち込まれた内的矛盾をなんとか解消しようとした動きの現れです。

絵のなかにはパンドラを象徴する壺と、エヴァを象徴するリンゴの小枝と蛇が描かれています。

図表でわかる！ ポイント

人類に苦しみや災厄がもたらされるきっかけとなったシーン

天界から火を盗んで人類に与えるプロメテウス

ゼウスはプロメテウスを捕えて罰を与えた

ゼウスは人間の女性（パンドラ）を創った

ゼウスからパンドラをもらいうけるエピメテウス

ゼウスから忠告を受けたのに箱を開けるパンドラ

箱を開けるとあらゆる災いが飛び出した

ギュスターヴ・モロー〈プロメテウス〉
1868年
ギュスターヴ・モロー美術館
パリ

ワンポイント
人類のために犠牲となったプロメテウスは原罪を背負って処刑されたキリストになぞらえて描かれた

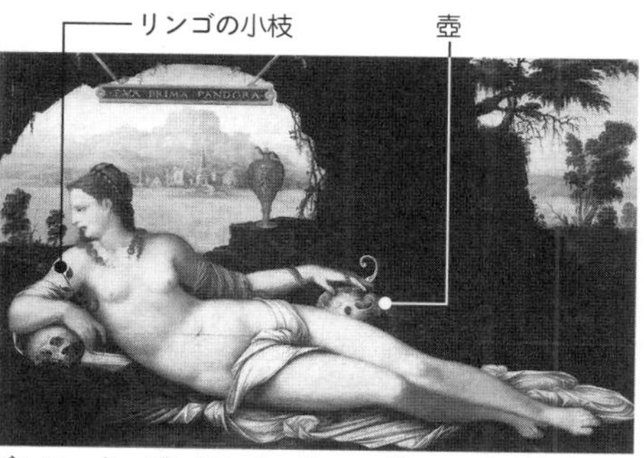

ジャン・クーザン（父）〈エヴァ・プリマ・パンドラ〉
1550年頃　ルーヴル美術館　パリ

▶ 04

不幸な恋の物語〈アポロンとダフネ〉

自慢の弓を馬鹿にされたクピドの復讐

アポロンはゼウスの息子で、芸術と予言の神であり、また弓矢の名人で容姿端麗、スポーツ万能という、ギリシャ・ローマ神話の神々のなかでも**エリート的存在**です。そんなアポロンが、あるときクピド（ローマ神話ではアモール）の持つ弓を小さいと馬鹿にしました。

怒ったクピドはアポロンの胸に**「恋に陥る黄金の矢」**を射ち込みます。間の悪いことに、アポロンが恋をしてしまったのは男嫌いで有名な**川の神の娘ダフネ**でした。さらに、クピドは念入りにダフネの胸に**「恋心を消し去る鉛の矢」**を射ち込みます。

こうして、アポロンが追いかければ追いかけるほど、ダフネは彼を嫌って逃げていきました。それでもとうとう追い詰められると、ダフネは父である川の神に自分の姿を変えてくれるよう頼みます。すると、ダフネの身体はたちまち**月桂樹**に変わりました。

この不幸な恋の物語は、さまざまな芸術家によって作品の主題に選ばれています。15世紀イタリアの画家**ポッライウォーロ**の**〈アポロンとダフネ〉**では、すでに手足が植物になりかけているダフネに、必死にすがりつくアポロンの姿が描かれています。17世紀イタリアの天才彫刻家**ベルニーニ**（P137）にも、**〈アポロンとダフネ〉**という大理石の彫刻作品があります。大理石は壊れやすい素材ですが、木の枝に変貌しつつあるダフネの手は光が透けて見えるほど薄く加工されており、作者の超絶技巧が発揮されています。

ちなみに、ダフネが月桂樹になってしまったことを嘆いたアポロンは、以後、月桂樹を自分のシンボルとするようになりました。

図表でわかる！ ポイント

アポロンの頭に月桂樹が描かれるきっかけとなったシーン

アポロンに馬鹿にされたクピド

アポロンに「恋に陥る黄金の矢」を射ち込む

男嫌いのダフネを好きになってしまうアポロン

「恋心を消し去る鉛の矢」をダフネに射ち込むクピド

アポロンから逃げるダフネ

ダフネは川の神に頼んで月桂樹に変えてもらう

アントニオ・デル・ポッライウォーロ
〈アポロンとダフネ〉
1480年頃　ナショナル・ギャラリー　ロンドン

ジャン・ロレンツォ・ベルニーニ
〈アポロンとダフネ〉
1624〜25年　ボルゲーゼ美術館　ローマ

▶ 05

自作の彫像に恋をした王を描く〈ピュグマリオンとガラテア〉

自分の作った彫像に命を吹き込んでもらうことに成功する

生きている人間ではなく、人形を愛することを心理学用語で**「ピュグマリオニズム」**といいます。この言葉は次のようなギリシャ・ローマ神話から生まれました。

その昔、キプロス島の王**ピュグマリオン**は現実の女性を嫌悪し、ずっと独身で過ごしていました。しかし、彫刻家としての才能を持っていた彼は、あるとき象牙に理想の女性を彫ってみます。すると、その彫像があまりに見事な出来だったため、ピュグマリオンは自分の作品に恋をしてしまいます。

王は毎日、彫像に語りかけ、服を着せ、口づけをしては抱きしめ、恋心を募らせていきます。やがて、ピュグマリオンは美と愛の女神ヴィーナス（ウェヌス、ギリシャ神話ではアフロディーテ）に、彼女と結婚させてくれと祈ります。この願いを聞き入れたヴィーナスが彫像に命を吹き込むと、像は**ガラテア**という生身の人間になりました。喜んだピュグマリオンは彼女と結婚し、それから幸せに暮らしたといいます。

このある意味ロマンティックな神話は、18世紀のフランスで好まれ、とくに芸術が自然を超越することを理想としていた新古典主義ではシンボルともなりました。新古典主義を代表する彫刻家であり画家の**ジャン＝レオン・ジェローム**に**〈ピュグマリオンとガラテア〉**という絵画があります。この作品では、足元はまだ冷たい象牙の質感を持ちながら、上半身は温かな血の通った生身の女性に変身しつつあるガラテアを極めて写実的に描いています。

図表でわかる！ ポイント

人形を愛することを「ピュグマリオニズム」と呼ぶきっかけとなったシーン

女性嫌いのピュグマリオン王

ある日女性の像を彫ってみた

あまりの美しさに恋してしまうピュグマリオン王

ヴィーナスにその像と結婚させてくれと頼む

像に命を吹き込むヴィーナス

人間となった像と仲良く暮らした

顔を隠す仮面は「欺瞞（ぎまん）」の象徴。ピュグマリオンの「偽りの愛」を伝えている

ジャン＝レオン・ジェローム〈ピュグマリオンとガラテア〉
1890年　メトロポリタン美術館
ニューヨーク

▶ 06

人体構造を無視して描かれた〈ヴィーナスの誕生〉

神々の裸が許されるようになり、ヴィーナス人気に火がつく

ギリシャ・ローマ神話のなかで、もっとも多くの画家の主題となったのが美と愛の女神ヴィーナス（ローマ名ウェヌスの英語読み）です。この女神の出自ははっきりしていませんが、一説にはクロノスに切り落とされたウラノスの男性器が海に落ちた際、流れ出た精液に集まった泡から生まれたともいわれています。そのため、ギリシャ神話でのヴィーナスの名前は、ギリシャ語で「泡（アプロス）」を語源とするアフロディーテです。

ヴィーナスを描いた絵画で最も有名なのは、15世紀イタリアの画家**ボッティチェッリ**の**〈ヴィーナスの誕生〉**でしょう。この絵のなかで女神は、右手で胸を隠し、左手で下腹部を隠す、古代ギリシャで「恥じらいのポーズ（プディカ）」と呼ばれる姿勢をとっています。ただ、よく見るとボッティチェッリの描いたヴィーナスのように実際に立つのは難しいことがわかります。**現実の人体構造を無視して、画家にとっての理想美を描いた**のです。

いっぽう、19世紀フランスの画家**ブグロー**の**〈ヴィーナスの誕生〉**は、女神は片足を曲げ、腰をS字にくねらせて重心をとる「コントラポスト」という立ち方をしています。こちらは現実に可能なもので、実際にモデルを使って描かれています。

ところで、キリスト教的なモラルが強かった時代は女性の裸を描くことはタブーでした。しかし、ルネサンス期以降、神話の神々なら裸も許されるようになります。このとき、美しく官能的な女神ヴィーナスは恰好の主題として画家たちに好まれたのです。

図表でわかる！ ポイント

古今東西の人を魅了する名シーン

サンドロ・ボッティチェッリ
〈ヴィーナスの誕生〉
1484〜86年
ウフィツィ美術館
フィレンツェ

ワンポイント
右手で胸を隠し左手で下腹部を隠す「恥じらいのポーズ」は古代ギリシャから伝わるもの

ウィリアム・アドルフ・ブグロー
〈ヴィーナスの誕生〉
1879年　オルセー美術館　パリ

10 hours Art history Studies 8

神話

▶ 07

世界一美しい神は誰なのかを描いた〈パリスの審判〉

トロイアの王子が出した結論がトロイア戦争の引き金に

ギリシャ・ローマ神話のクライマックスは、トロイア戦争です。これはギリシャ連合軍と小アジアの都市国家トロイアとの戦いで、ある程度は史実に基づいたものと考えられています。

神話での、戦争のきっかけは**女神たちの争い**でした。神々が参列していたある結婚式の場に、争いの女神エリスによって黄金のリンゴが放り込まれました。そのリンゴには「世界でもっとも美しい女性に」という言葉が添えられていたため、リンゴの所有を巡って**ゼウスの妻ヘラ**、**美と愛の女神ヴィーナス**、**智と武の女神アテナ**の3者が争います。困り果てたゼウスは、誰がリンゴの持ち主に相応しいかの判定を**トロイアの王子パリス**に託しました。

女神たちはそれぞれパリスに賄賂を渡しましたが、最終的に選ばれたのは「世界一の美女ヘレネと結婚させてあげる」という条件を出したヴィーナスでした。この物語こそが**「パリスの審判」**です。

こうして、パリスは約束通りヘレネを妻にもらいますが、じつは彼女はスパルタの王メネラオスの妃でした。怒ったメネラオスは妻を取り戻すためトロイアに兵を向けます。これが、トロイア戦争の始まりとなったのです。

3人の美しい女神が美男といわれたパリスの前で競い合うという、この派手な主題は、多くの画家に好まれました。なかでも有名なのが**ルーベンス**の**〈パリスの審判〉**でしょう。この作品のなかで、ヴィーナスは息子のクピド、ヘラは孔雀、アテナは弓や盾といったそれぞれの女神のアトリビュートと一緒に描かれています。

図表でわかる! ポイント

トロイア戦争の引き金となった「世界最高の美女」決定シーン

神々が参列する
ある結婚式に

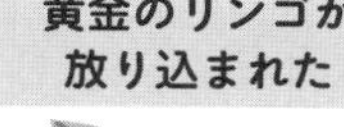

黄金のリンゴが
放り込まれた

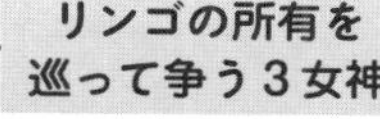

リンゴの所有を
巡って争う３女神

ゼウスはパリス王子
に判定を託す

ヘレネとの結婚を
提示するヴィーナス

ヴィーナスを選ぶ
パリス

ピーテル・パウル・ルーベンス
〈パリスの審判〉
1597〜99年
ナショナル・ギャラリー
ロンドン

〈パリスの審判〉
1430〜40年頃　バルジェッロ国立美術館　フィレンツェ

年表解説

西洋美術の源流は、紀元前3500年頃からオリエントで始まった青銅器文明にあります。それが、ギリシャ・ローマ文明に受け継がれ、西洋美術の基礎となりました。

1世紀にキリスト教が広まると、聖書の場面を描いた絵画が西洋美術の主流になっていきます。10世紀にはロマネスク様式が誕生し、12～15世紀にかけてはゴシック様式が発展しますが、どちらも教会建築を中心としたキリスト教美術です。

14世紀に入ると、古代ギリシャ・ローマの思想や芸術を「復興」しようと

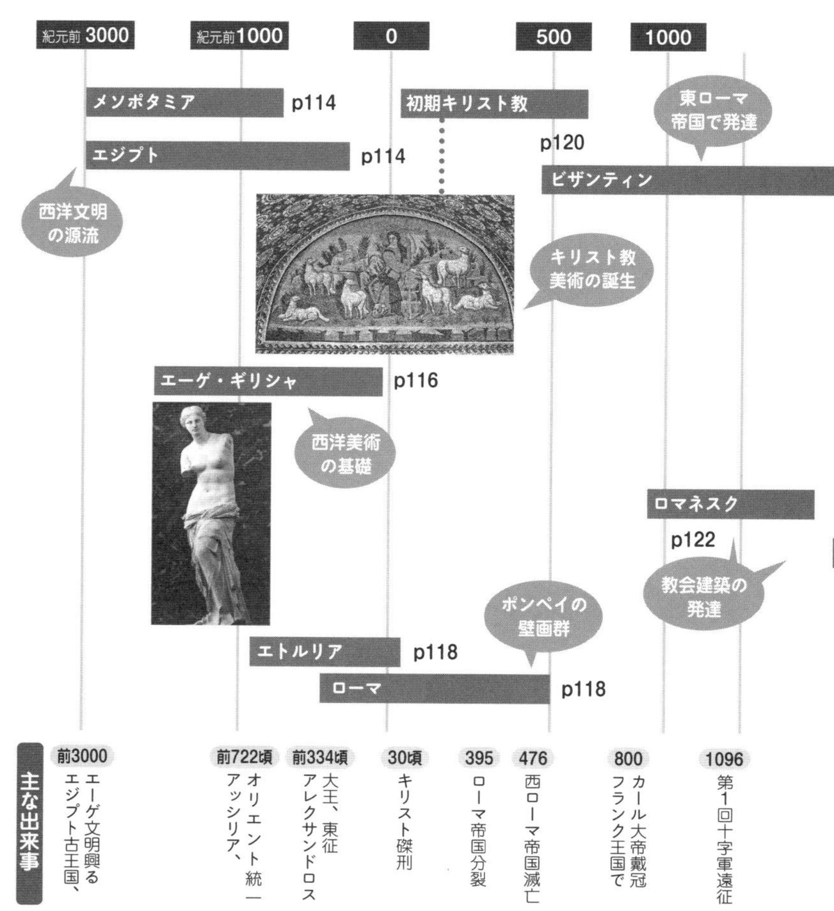

するルネサンス運動がイタリアを中心に盛んになりました。16 世紀には宗教改革が起き、17 世紀には劇的な演出が特徴的なバロックが流行します。

18 世紀、中央集権化が進んだフランスでは、華麗で繊細な宮廷美術ロココが人気となります。ですが、フランス革命が起きると、共和政を理想とする新古典主義とそれに対立するロマン主義が主流となりました。

やがて、19 世紀後半には印象主義が登場。後世の美術に多大な影響を与えます。また産業革命は、その反動としての世紀末美術を生みました。

そして、20 世紀以降は、フォーヴィスムやキュビスム、抽象主義、シュルレアリスムなどさまざまな様式が誕生し、西洋美術は多様な展開を見せていきます。

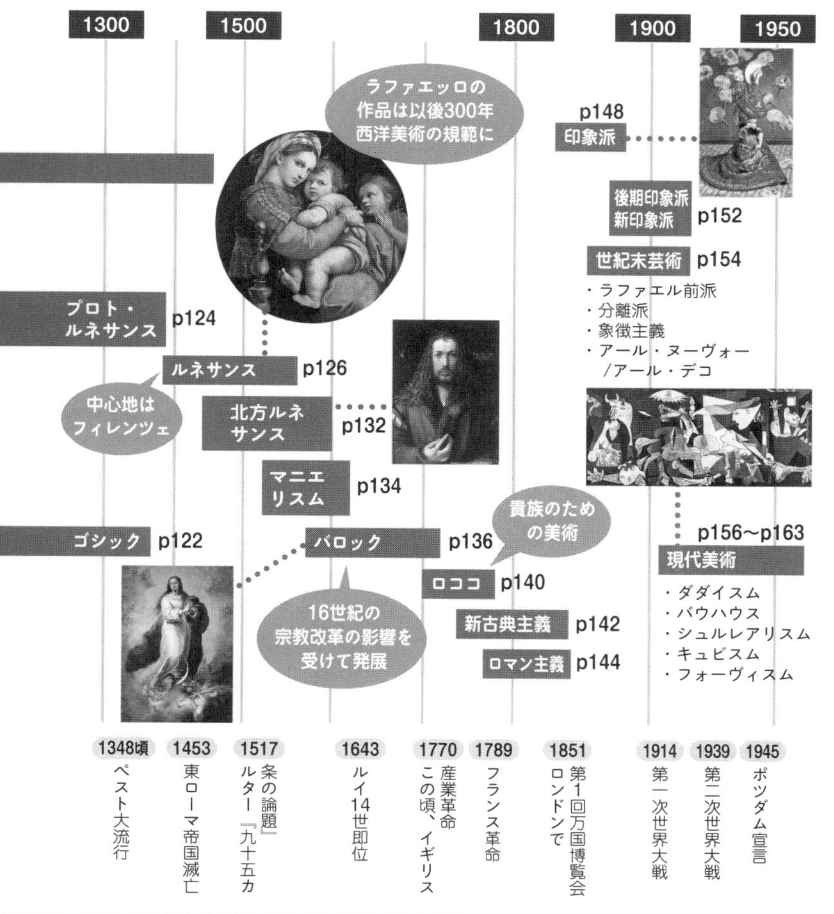

おわりに

私が美術史という学問に出会ったのは、中学三年生のときのことです。それまで、漠然と本を書く作家になりたい、それもその頃好きだった澁澤龍彦のような、何か専門分野がある書き手になれないものかと夢想していました。そのためには、大好きだった歴史と美術のどちらかいっぽうに絞らないといけないのかな、とぼんやり考え始めていたときに、高階秀爾（たかしなしゅうじ）という人が書いた『名画を見る眼』（岩波新書）に出会い、美術史という学問があることを知ったのです。これなら、歴史と美術のどちらも捨てずにいられる！　結局そのまま、今に至るまで美術史を生業（なりわい）としています。

勤務している美大には、毎年たくさんの学生が入ってきます。彼らは美術という好きなものがひとつは見つかっており、将来的にはその世界で生きたいという願望を持っているので、大学生になったはいいが、やりたいことが何も見つかっておらず、苦悩しがちな多くの一般大学生よりも迷いが少なく幸せそうに見えます。しかし、そのかわりに彼らの多くがぶつかる悩みが、美術のような道を選んで、はたして社会の役に立つのだろうかという迷いです。とくに、現在世界が直面しているような病禍のなかでは、そうした考えを抱くのは当然のことと思います。病で苦しんでいる人を治療するような、あるいは食べ物や日用品を生産したり届けたりするような、物理的に明瞭に役に立っている分野に比べると、美術はいかにも趣味的な楽しさばかりを追っているように見えますから。

しかし、社会での役立ち方には、さまざまな方法があります。描かれた絵を見て強く心を動かされる、あるいは小説を読んで想像力を刺激される、映画を観て別の人生を疑似体験する——。こうしたことをうながす芸術はすべて精神的に人々の役に立っているといえますし、そもそも、私たちが手にする、あるいは目にするあらゆる商品がデザインされたものなので、デザインのない生活などあり得ないといえます。

さらにいえば、物理的に役に立たないことをする生物は人間だけです（もちろん犬なども遊んでいると楽しそうではありますが）。他の動物も食べる、眠る、子孫を得るなど、本能的に必要な行動はしますが、そのために不要な行動は限られます。ということは、芸術こそ、人間と他の動物をわかつ行為であると極論することもできるのです。だから、自信を持ってこの世界で生きていこうとしてください、と悩める美大生には話すようにしています。

美術史が何のためにあるのか、何の役に立つのか、そして具体的に何を学ぶのかは、すでに本書を通じて読者の皆さんにもご理解いただけたと思います。願わくば本書が、一歩進んで皆さんの今後の美術鑑賞や、それを通じた異文化理解をより豊かなものとする一助となれば幸いです。

ただ、本書でお伝えできた部分は、美術史という学問のほんのさわりに過ぎません。なにしろ人類が創り出してきた文化的所産すべてを対象とする学問ですから、この先にははるかに広大で深い世界が待っています。幸い、美術史においては比較的容易に入手できる良書が数多く出版されているので、本書をきっかけに、その先の世界へと進んでいかれることを願っています。

池上英洋

池上　英洋（いけがみ・ひでひろ）
1967年広島生まれ。美術史家・東京造形大学教授。東京藝術大学卒業、同大学院修士課程修了。専門はイタリアを中心とした西洋美術史・文化史。著書に『死と復活　「狂気の母」の図像から読むキリスト教』（筑摩選書）、『西洋美術史入門』『ヨーロッパ文明の起源　聖書が伝える古代オリエントの世界』（いずれもちくまプリマー新書）、『恋する西洋美術史』（光文社新書）、『「失われた名画」の展覧会』（大和書房）、『レオナルド・ダ・ヴィンチ　生涯と芸術のすべて』（筑摩書房、第4回フォスコ・マライーニ賞）など。日本文藝家協会会員。

写真提供：アフロ（akg-images、Artothek、Bridgeman Images、Iberfoto、TopFoto、Universal Images Group、早坂卓）
参考図書：『西洋美術史入門』池上英洋・著（ちくまプリマー新書）
『西洋美術史入門〈実践編〉』池上英洋・著（ちくまプリマー新書）
『西洋美術史入門 絵画の見方』池上英洋・著（新星出版社）
『いちばん親切な 西洋美術史』池上英洋・著（新星出版社）
『よくわかる名画の見方　読み解くための100のキーワード』池上英洋、川口清香、荒井咲紀・共著（PHP研究所）

大学4年間の西洋美術史が10時間でざっと学べる

2020年７月16日　初版発行
2023年11月30日　５版発行

著者／池上 英洋

発行者／山下 直久

発行／株式会社KADOKAWA
〒102-8177　東京都千代田区富士見2-13-3
電話　0570-002-301（ナビダイヤル）

印刷所／図書印刷株式会社

●お問い合わせ
https://www.kadokawa.co.jp/（「お問い合わせ」へお進みください）
※内容によっては、お答えできない場合があります。
※サポートは日本国内のみとさせていただきます。
※Japanese text only

定価はカバーに表示してあります。

ISBN 978-4-04-604063-3　C0070